El gran libro de los apellidos y la heráldica

Juan Sebastián Elián

El gran libro de los apellidos y la heráldica

Si usted desea que le mantengamos informado de nuestras publica-
ciones, sólo tiene que remitirnos su nombre y dirección, indicando
qué temas le interesan, y gustosamente complaceremos su petición.

Ediciones Robinbook
información bibliográfica
apdo. 94085 - 08080 Barcelona
e-mail: info@robinbook.com

www.robinbook.com

Coordinación y compaginación: Niké Arts, s. l.

© 2001, Ediciones Robinbook, s. l.
Apdo. 94085 - 08080 Barcelona.
Diseño cubierta: Regina Richling.
ISBN: 84-7927-549-9.
Depósito legal: B-19.143-2001.
Impreso por A & M Gràfic, Pol. La Florida-Arpesa, 08130 Sta. Perpètua de Mogoda.

Impreso en U.S.A. - *Printed in the U.S.A.*

Introducción

Breve historia del apellido

Entre los derechos básicos o fundamentales de la persona, el derecho al nombre ha encontrado su razón de ser en la necesidad ineludible de individualizar a cada miembro de la sociedad para permitir su identificación personal, hasta el punto de que el nombre y los apellidos se han consagrado como parte fundamental de un derecho básico del individuo desde su nacimiento. Esta función identificadora es común a cualquier época histórica, aunque la forma y los elementos que la componen han variado de manera sustancial en virtud de una cultura concreta y de un momento histórico determinado.

Se conoce con el término de antropónimos a los nombres y los apellidos de las personas. El nombre propio o de pila es, originariamente, un nombre común con un significado concreto que ha permitido la individualización del sujeto dentro de la sociedad, mientras que el apellido ha posibilitado básicamente el reconocimiento de la persona en la esfera social.

Al principio de la era romana, los ciudadanos recibían un solo nombre; sin embargo, poco después, llegaron a ser necesarios tres o cuatro nombres para designar a una persona e individualizarla dentro de la sociedad. En primer lugar se encontraba el *praenomen* (nombre de pila), y después, el *nomen* (nombre de la «tribu» o grupo del que descendían). Más tarde, cuando la sociedad se amplió y se dividió en familias, fue preciso introducir el *cognomen* (apellido o nombre de la familia). Por último, se incorporó el *agnomen*, que hacía referencia a una característica distintiva del individuo.

Estos primeros apellidos se formaron añadiendo al nombre del padre un prefijo o sufijo (patronímicos, *véase más adelante*). En los árabes se anteponía la palabra *ben*, mientras que los hebreos lo hacían con la palabra *bar*, y los romanos, con el uso de la terminación *-ius* (de *filius*). Tal costumbre romana se perdió con la invasión de los bárbaros, que impusieron el empleo de un solo nombre. Esta tradición se mantuvo por lo menos hasta el s. IX, ya que no fue hasta el período comprendido entre los siglos IX y XII cuando se formaron los apellidos.

La confusión y anarquía que reinaba en la formación y uso del patronímico, crecientes a medida que se generalizaba su adopción como apellido, se reflejan en los documentos del s. XI. En el s. XVI, el patronímico, que venía sirviendo indistintamente de nombre y apellido en todas las clases sociales, comienza a quedar relegado, como nombre, a la clase inferior.

Formación de los apellidos

Aunque el patronímico en sus múltiples formas constituía por regla general el apellido, ante la evidente necesidad de identificar a las personas en sociedades cada vez más amplias, se empieza a distinguir a los individuos por otros medios, lo que constituye el germen para que los apellidos se conviertan, con el tiempo, en hereditarios y se asemejen a lo que son hoy día.

Una manera habitual de diferenciar a unas personas de otras ha sido por su oficio. Desde tiempos remotos, el oficio se transmitía de padres a hijos, hecho que contribuyó a que el apellido se hiciera también hereditario.

Durante los siglos VII a X es frecuente el empleo de un sobrenombre indicativo de una cualidad física, psíquica o moral. En ocasiones, estos nombres acabaron convirtiéndose en apellidos, lo que facilitó la aparición de apellidos como Calvo, Abril (por el mes de nacimiento), etc. De igual modo, en ese período existían apellidos que expresaban un parentesco (Sobrino, Cuñado...) o denotaban similitudes con ciertos animales (Águila, Palomo...).

Así mismo, se formaron apellidos que hacían alusión al lugar de procedencia de una persona; por ejemplo, Juan del Río, Lucas del Monte... En otras ocasiones, el apellido indicaba solamente la localidad de procedencia, sirviéndose de la preposición *de*. Las familias nobles también eran conocidas por sus orígenes y lugar de procedencia, si bien, en la mayoría de los casos, tomaban como apellido el nombre del castillo que poseían.

En las mujeres fue más lenta la adopción de apellido, y en ocasiones, las mujeres tomaban como apellido el nombre del padre feminizado, o bien el del marido. En España, hasta 1870, las mujeres eran inscritas en el registro con el apellido de su marido, solo o seguido del propio. El régimen claramente discriminatorio existente en la mayoría de países europeos se ha derogado o, al menos, se ha atenuado. Por ejemplo, en Francia, la atribución a la mujer casada del apellido del marido no resulta de texto legal alguno, sino de normas emanadas de la costumbre, y en caso de divorcio, la mujer tendrá derecho a conservar el uso del nombre del marido cuando aquél haya sido solicitado por éste.

En Italia, la mujer añade al apellido propio el del marido y lo conserva durante la viudedad hasta contraer nuevas nupcias. El apellido del marido sigue siendo el apellido de la familia y, por tanto, el que se transmite a los hijos.

La legislación alemana contempla una trayectoria paulatina hacia un sistema en el cual se confía a los contrayentes la elección entre el apellido del varón o el de la mujer como apellido conyugal, otorgando preferencia al apellido paterno en caso de falta de acuerdo.

En Gran Bretaña, Estados Unidos y otros países anglosajones resulta habitual que la mujer casada lleve el apellido del marido, y que los hijos reciban el del padre. Resulta frecuente el sistema de doble apellido: el paterno, en segundo lugar, y el materno, en primer lugar, pero éste se omite o bien se señala con una letra inicial (por ejemplo, John F. Kennedy, cuyo nombre completo era John Fitzgerald Kennedy; Fitzgerald corresponde al apellido de soltera de la madre).

En Rusia, las mujeres casadas tomaban el apellido del marido añadiéndole una *a* al mismo. Recuérdese a la protagonista de *Ana Karenina*, cuyo nombre completo era Ana Arkadeivna Karenin, es decir, Ana, hija de Arcadio y esposa de Karenin. Sin embargo, el sistema soviético varió esta situación y dejó a los contrayentes la posibilidad de elegir, como apellido de familia común, el del marido, el de la mujer o sus dos apellidos reunidos. Los restantes ordenamientos legislativos de los países del este europeo siguen esta tendencia.

En la mayor parte de países de habla hispana rige un sistema semejante al español del doble apellido.

Grupos de apellidos

Sistematizando lo comentado en el apartado anterior, encontramos los principales grupos a que corresponden los apellidos:

Patronímicos

Originados en el nombre del padre. En España, esta tendencia se llevó a cabo añadiendo la terminación *–ez* al nombre de pila (Martínez, «hijo de Martín»; Rodríguez, «hijo de Rodrigo»..). En otros países se siguió esta tendencia, pero usando terminaciones distintas: *–sohn*, en alemán; *–son*, en inglés y sueco; *–sen*, en danés, todos ellos del radical sánscrito *sunus*. Los ingleses reemplazaban frecuentemente *–son* por *'s*, como en Peter's por Peterson, pero aquella letra acabó por unirse al nombre (Adams).

En las lenguas eslavas se emplean los sufijos *–itch*, *–its*, *–witsch*, *–wicz*, *–uitsch*, *–ewitsh*, *–off* y *–eff* (y *–ova*, *–ovna* y *–evna*, para las mujeres). En la lengua polaca, *–ski* para el masculino y –*ska* para el femenino. Los normandos llevaron a Inglaterra el –*fitz* (de *filius*), que los escoceses reemplazaron por *mac* (Mac-Mahon), y que adoptaron también los irlandeses junto con el suyo propio O' (O'Farrel). Para expresar la filiación, los rumanos recurren a –*cu* (Gheorghescu); los vascos, a –*ana* y –*ena* (Lorenzana); los italianos, a –*i* (Galilei), y los franceses, a *De*– (Depierre).

TOPÓNIMOS Y GENTILICIOS

Tomados de nombres geográficos: de los lugares conquistados, del solar del cual se ha sido dueño, de la población que ha servido de principal núcleo a una familia, de la fortaleza que se ha asaltado, de la patria de adopción ante una adversidad, de la defensa del territorio que se ha encomendado, etc. También, en vez del nombre de la localidad, se hacía apellido del apelativo de sus naturales (Aragonés, Catalán, Navarro...).

Los accidentes, calidad, disposición y destino de los terrenos, las construcciones que en ellos se levantaban, las aguas corrientes o detenidas, la configuración de las costas, el albergue del ganado, etc., también han suministrado denominaciones a lugares y personas: Arroyo, Castillo, Collado, Corral...

DE ORIGEN RELIGIOSO Y ECLESIÁSTICO

Dios y las fiestas que le estaban consagradas dieron a los fieles advocaciones con las que distinguirse. Unas veces se añadía *de Dios* al nombre de bautismo, o bien se indicaba la divinidad protectora (Salvador y sus patronímicos). Los judíos conversos solían apellidarse Santa María, lo cual les ahorraba el largo período de sospechas y desconfianzas que constituía la situación de cristiano nuevo.

Los santos titulares de las iglesias solían dar nombre al grupo de población que las rodeaba, el cual, a su vez, constituyó apellido (por ejemplo, Sanjurjo, de san Jorge; Samper, de san Pedro).

El carácter sacerdortal y monacal, las dignidades, cargos y oficios eclesiásticos han producido buen número de apellidos (Fraile, Abad, Escolano...).

DE ORIGEN NOBILIARIO Y MILITAR

Los títulos nobiliarios, como otras designaciones de clases privilegiadas, se han hecho apellidos, incluso para individuos de nacimiento ilegítimo, pero que se suponían de procedencia elevada. Caballero es la designación de estas clases más comúnmente usada como sobrenombre ya en el s. XI.

A principios del s. XII se introdujo el uso de los escudos de armas; frecuentemente, los apellidos y las armas se confundieron, dándose origen de forma mutua.

A diversas magistraturas y a la administración se ha acudido en demanda de apellidos: Alcalde, Jurado, Casero... Y también la milicia ha sido fecunda en este sentido, originando apellidos como Guerra, Guerrero, Piquer, Cavero...

DEL ESTADO Y CONDICIONES PERSONALES

En este epígrafe se incluyen apellidos derivados de la edad o parentesco de las personas, oficios y profesiones, defectos físicos, cualidades, anécdotas de algún ascendiente, circunstancias personales, nombres de animales, motes y apodos. Así tenemos, por ejemplo, Casado, Barragán, Herrero, Moliner, Nieto, Moreno, Rubio, Cabezudo, Cacho, Delgado, Crespo, Izquierdo, Mellado, Calvo, Bonfill, Becerra, Lobo...

APLICADOS EN LAS INCLUSAS O ASILOS DE EXPÓSITOS

Actualmente no se permite la antigua costumbre de poner como apellido, al niño o niña que ha sido hallado abandonado, el nombre de Expósito (del latín *expositum*, «el que, recién nacido, ha sido abandonado en un paraje o dejado en la inclusa»). El apellido se ha tomado de advocaciones religiosas, nombre del lugar de la parroquia o del lugar donde radicaba la inclusa, nombre de algún bienhechor de la institución o, modernamente, nombre más corriente en el lugar donde fue hallado el recién nacido.

Apellidos
y blasones

Apellidos y heráldica

La heráldica, o ciencia del blasón, se dedica a estudiar y conocer los escudos nobiliarios, sean de origen militar, civil o eclesiástico. El término deriva de *heraldo*, que durante la Edad Media era la persona encargada de anunciar, en justas y torneos, el nombre, linaje y escudo de los caballeros contendientes. Posteriormente, su tarea adquirió mayor complejidad y pasaron a llamarse reyes de armas; se regían por un código y por unas reglas bastante estrictas, con el fin de que los símbolos y características del escudo pudieran apreciarse a cierta distancia.

La heráldica adquirió gran auge durante las Cruzadas y los sencillos escudos primitivos pronto se enriquecieron con bandas, fajas, figuras de animales... Esta diversidad ha provocado que el origen de numerosos escudos se pierda en el terreno de la leyenda y que muchos hechos «heroicos» hayan sido inventados por algunos heraldistas para contentar a quienes les pagaban por recomponer su árbol genealógico.

La heráldica no es una ciencia exacta y, además de la dificultad que representa la identificación de las armas de un linaje en relación con las de otro linaje que lleve el mismo apellido, está el hecho de que numerosos blasones carecen en la actualidad de una persona que físicamente los represente, sea por falta de uso de los mismos, sea porque se han ido perdiendo tras múltiples enlaces.

La interpretación de una descripción de armas ha provocado variantes en los escudos: diversas posiciones de las figuras, supresión o adición de otras, etc.

Por todas estas razones, el lector ha de considerar los escudos que se incluyen más adelante como una simple curiosidad, como una forma de reafirmar la antigüedad y la solera de su apellido, sin caer en la tentación de asumir inequívocamente un determinado blasón ni tener la pretensión de descender, de forma directa, de los antecesores que han ostentado su mismo apellido.

Sistemas de parentesco

Resulta preciso distinguir los diferentes términos que sirven para determinar diversas relaciones de parentesco, y que el lector profano suele confundir a menudo y utilizar incorrectamente, favorecido todo ello por el hecho de que la frontera entre estos términos es, a menudo, difusa.

ESTIRPE

Unidad genealógica mayor, el conjunto formado por la descendencia de un sujeto. Constituye el origen de un linaje, con una procedencia documentalmente conocida, que es el ascendiente más remoto. La estirpe se denomina «tronco» cuando se limita al estudio de la principal, de varón a varón de la línea agnada (la de las personas unidas sólo por línea masculina). El tronco es común a varias líneas, que se transforman en ramas. Por tanto, una rama está constituida por una serie de personas con origen en un mismo tronco.

LINAJE

Se aplica al conjunto de todos los descendientes, hombres y mujeres, en grado más o menos próximo de parentesco, por línea agnada de una estirpe común.

DINASTÍA

Forman una dinastía todas aquellas personas que tienen derecho de sucesión al trono, aunque el uso del término se ha extendido para referirse a todos aquellos individuos pertenecientes a una familia en las que se perpetúa o se transmite, de generación en generación, el poder político, cultural o económico.

FAMILIA

Es normalmente el grupo social más pequeño, pero también el más importante en la sociedad actual. Constituida fundamentalmente por padres e hijos, puede alcanzar tres o cuatro generaciones que vivan bajo un mismo techo o que se organicen con una jerarquización respetuosa hacia el considerado «cabeza de familia».

La familia presenta dos tipos diferentes de parentesco: el de consanguinidad, que corresponde a quienes llevan sangre común, y el de afinidad o agnación, formado por los enlaces de los diferentes miembros con consortes ajenos al grupo familiar. La familia se compone de ascendientes (padre, abuelo...), descendientes (hijo, nieto...) y colaterales (hermanos, primos, tíos y sobrinos).

SANGRE

Constituye el vínculo que comparten entre sí los diferentes descendientes de un mismo antepasado. Es un término fundamental en genealogía porque, para esta ciencia, sangre es sinónimo de raza en cuanto a herencia física y de linaje.

El escudo o blasón

Como afirmaba antiguamente el marqués de Ávila, los escudos de armas son «señales de honor y virtud, compuestas de colores fijos y determinados, que sirven para marcar la nobleza y distinguir a las familias y dignidades que tienen derecho a traerlas». Suponiéndose el escudo como descrito por el caballero que lo lleva, su lado izquierdo se llama «diestro», y su lado derecho, «siniestro». El escudo se divide en nueve «puntos»:

1. Cuartel diestro del jefe.
2. Centro del jefe.
3. Cuartel siniestro del jefe
4. Flanco diestro.
5. Centro o corazón.
6. Flanco siniestro.
7. Cuartel diestro de la punta.
8. Centro de la punta.
9. Cuartel siniestro de la punta.

1, 2 y *3* constituyen el jefe del escudo, y *7, 8* y *9*, la punta del mismo. El escudo va coloreado con diversos tonos, conocidos con el nombre genérico de «esmaltes».

ESMALTES

Los esmaltes se dividen a su vez en «colores» y «metales», además del «color natural», que significa que una figura va con el color que le es propio (cuando se refiere a partes desnudas del cuerpo humano se llama «carnación»).

Colores

♦ **Gules:** rojo.
♦ **Azur:** azul.
♦ **Sable:** negro.

♦ **Sinople:** verde.
♦ **Púrpura:** morado.

Metales

♦ **Oro:** amarillo.
♦ **Plata:** blanco.

Los «forros» constituyen combinaciones de dos metales en forma de dibujos convencionales. Cabe distinguir los «veros» y los «armiños», con diferentes modalidades:

♦ **Veros:** especie de vasos o campanillas de plata y de azur que encajan perfectamente, invertidos, unos con otros. Según la combinación de esmaltes y la colocación de las piezas, reciben otros nombres: verados, contraveros, contraverados, veros en punta, verados en punta, veros en ondas o verados en ondas.
♦ **Armiños:** manchas de sable en forma de pequeños triángulos que se colocan en campo de plata; la combinación inversa de esmaltes se denomina «contraarmiños».

PARTICIONES DEL ESCUDO

El escudo puede sufrir diversas particiones, iguales o no. Las particiones más importantes que dividen el escudo proporcionalmente son las siguientes:

♦ **Partido o partido en palo:** dividido por una línea vertical.
♦ **Cortado o partido en faja:** dividido por una línea horizontal.
♦ **Tronchado o partido en banda:** dividido por una línea trazada desde el cuartel diestro del jefe al cuartel siniestro de la punta.
♦ **Tajado o partido en barra:** dividido por una línea trazada desde el cuartel siniestro del jefe al cuartel diestro de la punta.
♦ **Terciado:** escudo con dos líneas paralelas que lo dividen en tres partes iguales.
♦ **Cuartelado en cruz:** aquel cuyas particiones resultan de la combinación de partido y cortado.
♦ **Cuartelado en sotuer:** aquel cuyas particiones resultan de la combinación de tronchado y tajado.

PIEZAS

El escudo puede ir adornado con elementos diversos; cuando se trata de dibujos arbitrarios que no denotan objeto alguno se denominan «piezas». Las piezas representan las mismas armas que los caballeros llevaban para su defensa, y también son símbolo de las heridas que recibían:

Piezas principales o de primer orden

♦ **Aspa o sotuer:** se compone de banda y barra en forma de aspa, aunque más estrechas. Representa el estandarte o guión de un caballero.

♦ **Banda:** se extiende desde el ángulo diestro del jefe hasta el ángulo siniestro de la punta. Simboliza el tahalí en que los caballeros sujetaban su espada, así como la banda que traían por divisa del hombro derecho al flanco izquierdo.

♦ **Barba o campaña:** ocupa el tercio inferior del escudo, horizontalmente, de flanco a flanco, a la manera de la barba en el rostro.

♦ **Barra:** contrabanda del mismo ancho y figura que la banda; solía distinguir a los hijos naturales y no legítimos.

♦ **Bordadura o bordura:** franja que rodea todo el escudo. Denota la cota de armas y se concedía a los caballeros fuertes y animosos que sacaban de las batallas su cota teñida de sangre enemiga.

♦ **Cabria o chevrón:** tiene la forma de un compás abierto, con el vértice en la parte superior. Simboliza las botas y las espuelas, y se concedía a los caballeros que salían heridos en las piernas.

♦ **Cruz:** se compone de la combinación de palo y faja, a menudo con una anchura algo inferior. Simboliza la espada, aunque también la tomaron algunas familias en tiempo de las Cruzadas, en señal de haber asistido a ellas.

♦ **Cuartel:** pieza que se coloca en la parte superior de la diestra del escudo y que es un poco menor a la cuarta parte de éste.

♦ **Escudete:** pequeño escudo que se pone en el centro del principal; representa el corazón del hombre.

♦ **Faja:** ocupa el tercio central horizontal y representa el ceñidor con el cual el caballero sujetaba la cintura a la coraza.

♦ **Franco cuartel o cuartel de honor:** pieza que se representa con el primer cuartel del escudo, algo más pequeño que éste.

♦ **Frente o jefe:** ocupa el puesto superior del escudo, horizontalmente, de flanco a flanco. Simboliza la cabeza del hombre si entendemos todo el escudo como el cuerpo.

♦ **Jirón:** pieza triangular cuyo vértice se halla en el centro del escudo y uno de sus lados ocupa la mitad de la línea de cortado o partido.

♦ **Lambel:** pieza que se representa por una especie de faja con tres o más puntas pendientes en forma de cola; se coloca en el jefe del escudo y no llega a los lados del mismo.

♦ **Orla:** pieza que tiene por ancho la mitad de la bordura, pero que se coloca dentro del escudo y separada de sus bordes por una distancia igual a su ancho.

- **Palio o perla:** su figura es la de una Y griega compuesta de tres palos. Según parece, se daba a los caballeros en premio de la carrera a caballo.
- **Palo:** ocupa el tercio central vertical del escudo y simboliza la lanza que llevaban en campaña los soldados para clavarla en tierra y cerrar el campamento que se delineaba.
- **Pila:** pieza en forma de triángulo cuya base está en el jefe y cuyo vértice está casi en la punta del escudo, como una pirámide invertida.
- **Pira:** pieza en forma de triángulo cuya base parte de la punta del escudo y termina en el centro del mismo, como una pirámide.

Piezas disminuidas

- **Barreta o bastón en barra:** contracotiza disminuida a una cuarta parte de la barra.
- **Bastón:** cotiza disminuida a una cuarta parte de la banda.
- **Ceñidor, cinta o faja en divisa:** faja reducida a un tercio de su anchura normal.
- **Contracotiza:** barra reducida a la mitad de su anchura.
- **Cotiza:** banda reducida a la mitad de su anchura.
- **Estrecha:** cruz disminuida a la mitad de su anchura normal.
- **Filete:** pieza que, en la misma dirección que la banda, barra, orla, faja, etc., es muy estrecha.
- **Gemelas:** dos piezas paralelas en posición de faja o banda, disminuidas en una cuarta parte de éstas y separadas entre sí por un espacio igual al de su anchura.
- **Lazo o flanquis:** sotuer de un tercio de su anchura normal.
- **Tenaza o estaye:** cabria disminuida en dos terceras partes.
- **Trinas o tercias:** fajas disminuidas a un sexto de su anchura ordinaria, que se colocan en el escudo repitiéndose tres veces; se pueden poner en situación de banda, barra o sotuer.
- **Vara o vergueta:** palo disminuido en dos terceras partes.
- **Venda o comble:** jefe disminuido en dos tercios de su anchura normal.

Piezas derivadas o de segundo orden

- **Ajedrezado:** pieza que lleva más de dos filas de ajedrez.
- **Anillado:** escudo sembrado de anillos, piezas redondas y huecas, como un círculo.
- **Bezanteado:** escudo sembrado de bezantes, piezas de forma redonda y llana, que solamente pueden ser de metal.
- **Burelado:** escudo sembrado de bureles, piezas que son en realidad una faja, pero disminuidas en dos tercios, y repitiéndose como mínimo cinco veces, en alternancia de color y metal.

- **Cartelado o billetado:** escudo sembrado de billetes o cartelas, piezas pequeñas rectangulares que se disponen de un modo equidistante y aisladas.
- **Dantelado:** escudo formado de fajas de danteles invertidos de metal y color, piezas resultantes de la unión de pequeños triángulos, a manera de dientes.
- **Equipolado:** pieza formada por el trazado de dos líneas verticales y dos horizontales, originando nueve particiones, de las cuales cinco serán de metal y cuatro de color, alternativamente.
- **Fuselado:** escudo cubierto de fusos, piezas en forma de rombos más largos que anchos.
- **Losanjado:** escudo lleno de losanges, piezas formadas por un rombo, con una disposición similar al ajedrezado.
- **Mallado o maclado:** escudo lleno de macles, piezas formadas por rombos en cuyo centro llevan otro rombo vacío.
- **Plumeteado:** pieza cubierta de pequeños semicírculos montados unos sobre otros, como si fueran escamas de pescado.
- **Quinado:** escudo que lleva quince cuadros de ajedrez.
- **Roelado:** escudo que lleva más de nueve roeles, piezas redondas que siempre han de ser de color.
- **Rustrado:** escudo cargado de rustros, piezas en forma de rombo con abertura interior redonda.

Figuras

Son los elementos del escudo que representan cosas conocidas, como alguna parte del cuerpo humano, armas de guerra, animales... Pueden ser:

- **Naturales:** son astros (estrellas, el sol, la luna, cometas), seres humanos, animales (león, oso, zorro, toro, carnero, águila, grulla, delfín, barbo, lagarto...) o vegetales (flor de lis, lirio, rosa, azucena, jazmín, cepas, árboles, frutos...).
- **Quiméricas:** de derivación mitológica (dragón, centauro, hidra, arpía, sirena, fénix...).
- **Artificiales:** muy numerosas y, en su mayor parte, pertenecientes al arte de la guerra (torre, castillo, murallas, espada, lanza, yelmo), a la caza (cuerno, trompa), a la vida eclesiástica (iglesia, campana, báculo) y a la vida civil (ciudades, casas, hachas, hebillas, anillas, cuchillos, reja de arado...).

Cómo interpretar un escudo

Para indicar la posición y situación de las piezas y figuras hay que recurrir a términos heráldicos precisos, estableciendo la relación que dichos elementos guardan entre sí.

Por tanto, cuando las piezas se disponen una encima de otra diremos que están en palo; cuando se hallan una al lado de otra, en faja; cuando se hallan de arriba abajo, cruzando el escudo desde el cuartel diestro del jefe al cuartel siniestro de la punta, en banda, y al revés, en barra; y si se disponen en forma de aspa, en sotuer.

Siempre se leerá primero la pieza principal, y luego, la secundaria, anteponiendo uno de los siguientes términos:

♦ **Acompañada:** cuando la pieza principal y la secundaria se hallan cada una en una situación propia.
♦ **Adiestrada:** cuando la pieza secundaria se halla a la derecha de la principal.
♦ **Siniestrada:** cuando la pieza secundaria se halla a la izquierda de la principal.
♦ **Superada:** cuando la pieza secundaria se halla encima, sin tocar la principal.
♦ **Sumada:** cuando la pieza secundaria se halla encima, unida a la principal.
♦ **Sostenida:** cuando la pieza secundaria se halla debajo de la principal.
♦ **Sobre el todo:** cuando un escudete, pieza o figura se coloca encima de alguna partición del escudo.
♦ **Cargada:** cuando se coloca una pieza secundaria sobre una pieza o figura principal, pisándola.

Cuando en un escudo existen tres piezas o figuras, deben colocarse dos en la parte superior y una en el centro de la inferior. Si no se hallan en esta situación están «mal ordenadas», y entonces debe precisarse su ubicación: en uno y dos (una arriba y dos abajo), en faja, en palo... Las piezas o figuras en número de cuatro se entenderán siempre aparejadas dos arriba y dos abajo, y cuando se trate de cinco, dos arriba, una en el centro y dos abajo. Cualquier otra disposición debe precisarse con números: 3-3-1, etc.

Siempre se empieza describiendo el campo del escudo, su esmalte, con las palabras «en campo de» o «trae de»; seguidamente se pasa a las piezas y figuras, empezando por la principal. Para los escudos divididos en más de tres cuarteles, se empieza siempre por los situados en la parte superior, dando prioridad a los que se hallen en la derecha, y se describirá un cuartel antes de pasar al siguiente.

Catálogo
de apellidos

Abad

APELLIDOS RELACIONADOS: Abato, Abade, Abades, Abadía, Abadías, Abat, Abadal, Badal, Badiola, Badía, Badías.

Etimología

Del latín *abbas, abbis*, a su vez, del arameo *abba*, «padre», aplicado al padre abad de un monasterio o convento.

Orígenes

Su casa solar se encuentra en el valle de Gordejuela (País Vasco), pero el apellido se extendió por la península Ibérica y América. Martín Fernández Abad, perteneciente a la rama de Castilla, después de luchar contra los árabes en la Reconquista, se afincó en Ocaña (Toledo). Pedro Abad también fundó una rama en Alcoy, donde luchó por el futuro reino de Valencia. Otra rama proveniente de los Abad aragoneses pasó a Sicilia, fundada por Palmario Abad.

Armas

En campo de gules, un castillo de oro con puertas y ventanas de azur; bordura de oro, y en letras de azur el lema «Castro-Abad».

Antecesores destacados

DIEGO JOSÉ ABAD. Poeta y humanista mexicano nacido en 1727. En 1745 ingresó en la Compañía de Jesús, pero al producirse la expulsión de los jesuitas emigró a Italia, donde murió en 1779.

MANUEL ABAD Y QUEIPO. Prelado español nacido en Asturias en 1751. Llegó a ser obispo de Michoacán, en México, durante la lucha por la independencia mexicana.

Abel

APELLIDOS RELACIONADOS: Abela.

Etimología

Nombre de pila usado como apellido, tal vez del asirio *habel*, *habal*, «hijo»; el segundo hijo de Adán y Eva, recordado en el santoral como el primero de los justos y de los mártires.

Orígenes

El apellido, originario de Francia, fue traído a la península Ibérica por nobles relacionados con las casas reales europeas. Los poseedores de este apellido gozaron de derechos y prerrogativas al prestar grandes servicios al monarca y a la nación. El primer Abel conocido en la península Ibérica fue Francisco Abel, descendiente de franceses y caballero de origen noble, que fundó casa en Portillo (Cuenca).

Armas

En campo de plata, un jabalí de sable, pasante; el jefe, de azur, con un creciente de plata montante y acompañado de dos rosas con cinco hojas de oro.

Antecesores destacados

FÉLIX ABEL. Conocido como padre Marie, dominico y palestinólogo francés, nacido en 1878. Profesor de la escuela bíblica de Jerusalén, donde murió en 1953.

Acero

Etimología

Del latín tardío *aciarium*, de *acies*, «filo», «hilo de hierro endurecido».

Orígenes

Este apellido se remonta al tiempo de la Reconquista, en las montañas de Asturias, donde un caballero apellidado Muñoz luchó con tal fuerza y valentía que pasó a conocerse como «acero». Este sobrenombre fue asimilado por sus descendientes como apellido.

Armas

En campo de sinople, una torre sobre ondas de mar, azules y blancas; a las puertas de la torre, un guerrero armado con rodela y espada, la hoja de ésta, de plata, y la guarnición, de oro.

Antecesores destacados

ANTONIO ACERO DE LA CRUZ. Pintor hispanoamericano documentado entre 1633 y 1667 en Bogotá, de estilo manierista.

VICENTE ACERO Y AREBO. Arquitecto español del s. XVIII, con obras como la fachada de la catedral de Guadix.

Acevedo

APELLIDOS RELACIONADOS: Acebo, Acebedo, Acebes, Acévez, Acebillo, Aceveda, Grevolosa, Grabalosa, Grabulosa.

Etimología

Del latín vulgar *acifolium*, variante de *aquifolium*, «de hojas verdes y espinosas», nombre de una planta.

Orígenes

Su origen es muy antiguo, concretamente en la persona de Arnaldo de Bayán, que vino a España en el año 983 para luchar contra los musulmanes al servicio de Alfonso V de León. Su nieto, Egas Gosindo Bayán, sirvió al rey Fernando el Grande y se afincó en Acevedo, tomando este nombre de ciudad por apellido. Sus descendientes, todos ellos al servicio de reyes, se casaron con nobles damas, que aportaron tierras y títulos al apellido.

Armas

Escudo terciado en faja: 1ª, en campo de azur, tres flores de lis de oro; 2ª, en campo de plata, cinco roeles de gules, en sotuer; y 3ª, en campo de gules, un lobo, pasante, de su color.

Antecesores destacados

ALONSO DE ACEVEDO. Poeta español nacido en Vera de Plasencia, en 1550, autor de un poema titulado *La creación del mundo*, que consta de siete cantos correspondientes a los días del Génesis.

JERÓNIMO ACEVEDO. Virrey de las Indias portuguesas de 1612 a 1617. Mandó explorar Madagascar y murió preso en Lisboa.

Acosta

APELLIDOS RELACIONADOS: Cuesta, Costa, Cuestas, Lacuesta, Sacosta.

Etimología

Del latín *costa*, «lado», y por extensión, «costado o ladera de una montaña», «ribera del mar»... Con artículos *la* o *sa*, «la cuesta», «la subida»...

Orígenes

Los genealogistas no se ponen de acuerdo sobre su origen: unos creen que procede de una familia romana que se afincó en la península Ibérica, mientras que otros piensan que proviene de un rey godo llamado Acoista; aún hay una tercera teoría que afirma que el apellido puede provenir de Portugal. Lo cierto es que existe una casa solariega en las montañas de Burgos, que pasó rápidamente a otras zonas de España y parece ser que, posteriormente, a Portugal.

Armas

En campo de plata, seis costillas de sable, colocadas de dos en dos.

Antecesores destacados

JOSÉ DE ACOSTA. Historiador y jesuita español nacido en Medina del Campo (Valladolid) en 1540. Pasó a América y vivió en el virreinato del Perú, donde fundó el seminario de San Martín. Murió en Salamanca en 1600.

Aguado

APELLIDOS RELACIONADOS: Aguas, Agüero, Aguada, Aguedero, Bonaigua, Buenagua.

Etimología

Forma del verbo *aguar*, «abstemio», derivado del latín *aqua*, «agua».

Orígenes

Casa solar en Aguilar de Campoó, fundada por Fortún Sáez; sus ramas se extendieron por Asturias, La Rioja, León y Andalucía. Se dice que el apellido se originó durante el sitio efectuado a Sevilla por Fernando II el Santo, al cual Fortún Sáez acompañaba. Éste libró combate contra un sarraceno en un lugar muy pantanoso, por lo que al regresar vencedor de la lucha, sus compañeros lo proclamaron valiente, pero «aguado», sobrenombre que quedó como apellido en sus descendientes.

Armas

En campo de plata, cinco fajas ondeadas de azur, surmontadas de una cabeza de moro con turbante blanco, chorreando sangre por el cuello cortado; bordura de oro, con ocho aspas de gules.

Antecesores destacados

Pedro de Aguado. Conocido como fray Pedro, nació en Valdemoro en 1538 y fue un cronista de Indias. Profesó en la orden de San Francisco y se cree que murió en 1609.

Alejandro María Aguado. Financiero español nacido en 1748 en Sevilla. Fue ayuda de cámara durante la ocupación napoleónica de España y, posteriormente, agente financiero de Fernando VII, quien lo nombró marqués de las Marismas del Guadalquivir. Murió en Gijón en 1842.

Aguas

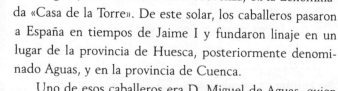

APELLIDOS RELACIONADOS: Aguado, Agüero, Aguada, Aguedero, Bonaigua, Buenagua.

Etimología

Derivado del latín *aqua*, «agua». Véase también **Aguado**.

Orígenes

Apellido francés, corrupción de Aigues, con casa solar en la Provenza, en la denominada «Casa de la Torre». De este solar, los caballeros pasaron a España en tiempos de Jaime I y fundaron linaje en un lugar de la provincia de Huesca, posteriormente denominado Aguas, y en la provincia de Cuenca.

Uno de esos caballeros era D. Miguel de Aguas, quien acompañando a Jaime I cuando perseguía a D. Pedro de Ahones, prestó su caballo al monarca cuando el caballo de éste cayó muerto de cansancio, por lo que el rey le concedió escudo de armas.

Armas

En campo de oro, una cabeza de hombre, de perfil, mirando a la derecha del escudo.

Antecesores destacados

JUAN DE AGUAS. Eclesiástico español, nacido en Daroca (Zaragoza) en 1606. Fue examinador sinodial del arzobispado de Zaragoza y rector de la universidad en 1676. Falleció en esta ciudad en 1685.

Agudo

APELLIDOS RELACIONADOS: Agudín, Agut.

A

Etimología

Derivado del latín *acutus*, «que tiene punta», y por extensión, en los s. XIII-XVII, «veloz», «diligente», «perspicaz».

Orígenes

Apellido montañés, cuyo troncal fue el caballero Fernán Fernández Agudo (s. IX), distinguido en la batalla de Roncesvalles. Su hijo, Diego, destacó en la batalla de Clavijo, durante la cual, según refiere la leyenda, apareció el Apóstol Santiago cabalgando sobre un corcel blanco. Juan González Agudo fue nombrado caballero de la Orden de la Banda por el rey Alfonso XI.

Armas

En campo de sinople, tres estrellas de oro, bien ordenadas.

Antecesores destacados

JUAN GONZÁLEZ AGUDO. Caballero español del s. XIV, participó en las batallas del Salado (1340) y en las conquistas de Gibraltar y Alcaudete, siendo nombrado caballero de la Orden de la Banda por el rey Alfonso XI de Castilla.

Agüero

APELLIDOS RELACIONADOS: Aguas, Aguado, Aguada, Aguedero,
Bonaigua, Buenagua.

Etimología

Del nombre locativo *agüera*, «acequia, curso por donde discurre el agua», derivado del latín *aqua*, «agua». Véase también **Aguado**.

Orígenes

A

Apellido cántabro, de las montañas de Trasmiera, con casa solar fundada por Pedro González, que pobló la villa de Agüero, cerca de Santander. De allí, algunas ramas pasaron a Aragón (Huesca), Castilla y Vizcaya. Los de Valencia y Cataluña poseen escudo de armas concedido por el rey Jaime I a García de Agüero, que se distinguió en el sitio de Játiva. En 1537, el emperador Carlos I concedió escudo de armas a Diego de Agüero, explorador de las islas del Titicaca y El Callao, y que formó parte en la expedición de conquista de Quito.

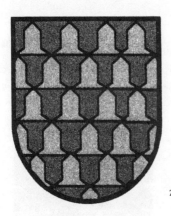

Armas

Escudo verado lleno por cinco órdenes, de oro y azur.

Antecesores destacados

JUAN MIGUEL DE AGÜERO. Arquitecto hispanoamericano, activo en Cuba y México en la segunda mitad del s. XVI. Trabajó en las fortificaciones de La Habana y realizó el modelo para la catedral nueva de la capital mexicana.

Aguilar

APELLIDOS RELACIONADOS: Águila, Aguilella, Aguilera, Aguiar, Guilella.

Etimología

Del latín semiculto *aquila*, «águila», se atribuye más al color sombrío de sus plumas *(aquilus)* que a lo agudo y curvo de su pico (griego *agkylos*, «encorvado»). Como apodo, constituye un recuerdo del culto que el ser humano ha rendido a esta ave rapaz por su gran fuerza, la altura y rapidez de su vuelo, y su vista perspicaz.

Orígenes

Su origen es común con el de Aguiar, ya que tienen el mismo tronco en la figura de un caballero mozárabe toledano, Men Gómez Ibáñez, que vivió durante el reinado de Alfonso VI.

De un descendiente suyo, Egas Gómez, proceden los Aguilar. Poco después, el apellido pasó a Portugal, ya que consta que Juan Gómez de Obiñal, ricohombre de Portugal, se casó con María Pérez de Aguilar, y a su vez, un hijo suyo pasó de nuevo a España al servicio del rey Alfonso X el Sabio, que por sus servicios le donó las tierras del Señorío de Aguilar, en Andalucía.

Armas

En campo de oro, un águila exployada coronada de oro.

Antecesores destacados

JERÓNIMO DE AGUILAR. Conquistador español nacido en Écija en 1489, llegó a América con Valdivia y fue apresado por los indígenas en Yucatán. En 1511, después de muchos avatares, logró reunirse con Hernán Cortés, a quien sirvió como intérprete. Murió en México en 1531.

DIEGO DE AGUILAR. Militar y escritor español, nacido en Córdoba en 1540. Marchó al Perú con el conde de Nieva. Murió en 1615.

Aguilera

APELLIDOS RELACIONADOS: Aguilar, Águila, Aguilella, Aguiar, Guilella.

Etimología

Del latín *aquila*, significa «nido de águila». Véase **Aguilar**.

A

Orígenes

Apellido muy antiguo, ya que sus orígenes se remontan a la época del rey Ramiro I, quien obtuvo la victoria en la batalla de Clavijo y estableció a su vez el Voto de Santiago. Su casa solar se encuentra en Trasmiera (Cantabria), pero varias ramas se extendieron por la península Ibérica, sobre todo Andalucía y Murcia, pero también Aragón y Soria. Sancho IV, rey de León y Castilla, concedió a D. Gil de Aguilera, por los servicios prestados en diversas acciones bélicas, el Señorío de Aguilera en 1290.

Armas

En campo de oro, un águila de sable, coronada de lo mismo.

Antecesores destacados

JERÓNIMO DE AGUILERA. Caballero español que destacó en la conquista de Granada en el año 1492.

Aibar

APELLIDOS RELACIONADOS: Aivar.

Etimología

Del vasco *ai-barr*, «cañada de la cumbre».

Orígenes

Apellido navarro, de la villa del mismo nombre, en el valle de Aoíz, con casa solariega fundada por Esparchio Osorio, capitán de los vascos, que luchó contra el rey godo Recaredo en el año 198. Descendientes suyos fueron Íñigo de Aibar, uno de los doce nobles varones elegidos para gobernar Navarra en el 865, y Jimeno de Aibar, privado del rey Sancho el Fuerte.

Armas

En campo de gules, seis escudos oblongos de oro y pareados.

Antecesores destacados

MARTÍN DE AIBAR. Camarlengo de Carlos el Noble, quien en 1389 le armó caballero en Pamplona, junto con otros siete nobles de las primeras familias del reino de Navarra. Tomó parte activa en el gobierno del reino.

Alarcón

APELLIDOS RELACIONADOS: Alarco, Alarcos.

Etimología

Originario de la villa del mismo nombre, quizá derivado del árabe *(al)-ark*, «valle».

Orígenes

Su origen se sitúa en Alarcón, en el valle de Buena (Asturias), donde existía una fortaleza de los tiempos de la dominación visigoda. Se tiene noticia que cuando el rey Alfonso IX decidió enviar sus tropas para conquistarla, Fernán Martínez de Ceballos fue el primero en escalar las altas murallas y, por ese motivo, el rey lo nombró alcalde de la villa y también lo autorizó a utilizar el apellido Alarcón. Posteriormente, éste se dispersó por toda la península Ibérica, Portugal y América.

Armas

En campo de gules, una cruz hueca y flor delisada de oro.

Antecesores destacados

FRANCISCO ANTONIO DE ALARCÓN. Político y eclesiástico español nacido en Valladolid en 1589. Fue uno de los colaboradores del conde-duque de Olivares. Éste, en 1621, lo envió a Nápoles para recabar información en contra del duque de Osuna. Nombrado obispo de Ciudad Rodrigo en 1636, fue uno de los impulsores del ataque que sufrió la ciudad de Barcelona en 1640. Murió en Córdoba en 1669.

A

Alcalá

APELLIDOS RELACIONADOS: Alcalay, Alcolea.

Etimología

Topónimo muy frecuente, derivado del árabe *al-qalá*, «el castillo».

Orígenes

Apellido que desciende de la casa solariega existente en Alcalá del Obispo (Huesca), aunque como suele suceder en esta clase de apellidos, el linaje se extendió posteriormente, como denota la gran cantidad de villas con el mismo nombre: Alcalá la Real, Alcalá de Ebro, Alcalá de Guadaira... En el año 1137, el rey Ramiro II hizo noble al caballero Galín Giménez de Alcalá, que le había prestado grandes servicios militares. Posteriormente, en tiempos de la unión de las coronas de Cataluña y Aragón, surgieron otros caballeros, como Pedro de Alcalá y Odón de Alcalá, que también fueron colmados de honores por sus servicios.

Armas

En campo de oro, una faja de sable.

Antecesores destacados

JERÓNIMO DE ALCALÁ YÁÑEZ. Escritor español nacido en Segovia en 1563. Estudió en dicha ciudad con san Juan de la Cruz, pero al final se dedicó a la medicina y se graduó en Valencia. Murió en Segovia en 1632.

NICETO ALCALÁ ZAMORA. Conocido político español nacido en Priego de Córdoba en 1877 y fallecido en Buenos Aires en 1949. En 1931 fue presidente de la segunda República Española hasta 1936, cuando se exilió.

Alcocer

A

APELLIDOS RELACIONADOS: Alcázar, Balcázar, Belalcázar.

Etimología

Derivado del árabe *al-qusayr*, «palacio pequeño». Véase también **Castro**.

Orígenes

Apellido castellano, con casa solar fundada en el 1039, en los valles de Oca (Burgos), por el infante Sancho Sánchez de Alcocer, hijo del rey Sancho II de Navarra. Otro descendiente, hijo del anterior, tomó parte en la conquista de Valencia formando parte de las tropas del Cid Campeador. Las villas que ostentan este apellido en Burgos, Guadalajara, Badajoz y Alicante proceden de heredamientos concedidos en la Reconquista por los reyes a quienes sirvieron los caballeros de este linaje, que constituyeron nuevas casas solares.

Armas

En campo de oro, tres fajas de azur.

Antecesores destacados

FERNÁN DÍAZ DE ALCOCER. Regidor de Alcalá de Henares en 1436, ese año fue armado caballero por el rey Juan II y obtuvo privilegio de hidalguía. En 1437, el monarca le nombró gentilhombre. Fundó la capilla de Santiago en la iglesia de Santa María de Alcalá de Henares.

Aldama

APELLIDOS RELACIONADOS: Aldana, Aldaluz, Aldán, Aldeano, Galdeano, Aldecoa.

Etimología

Del vasco *alda*, «ladera», «falda».

Orígenes

Apellido vasco, con casa solar en Amorebieta, de donde se extendió a Zuaza (Álava), Navarra, Castilla y Baleares. Caballeros con este apellido destacaron en las guerras de

la Reconquista. Una de las ramas pasó a Cuba, y otra, a México. Juan José de Aldama probó nobleza en la orden de Carlos III en el año 1799, y José de Aldama y Camba ostentó el título de marqués de Aldama, emparentado con otras grandes de España, como los Urquijo y los Fontalba.

Armas

En campo de azur, un castillo de oro sobre ondas de mar de azur y plata sobre las que flotan varias cabezas de moros; partido de gules con tres bandas de oro.

Antecesores destacados

JOSÉ AGUSTÍN ALDAMA. Sacerdote mexicano del s. XVIII, profesor de lengua azteca en la Universidad de México y autor del tratado *Arte de la lengua mexicana* (1754).
IGNACIO ALDAMA. Político mexicano (1769-1811), que participó en el movimiento insurreccional de 1810 y fue nombrado presidente municipal de San Miguel de Allende.

Alegre

APELLIDOS RELACIONADOS: Alegret.

Etimología

Nombre de pila, derivado del latín vulgar *alacer*, *alacris*, «excitado», «emocionado».

Orígenes

Apellido catalán, se cree que de origen francés, que se extendió por Aragón, Vizcaya, Valencia y Castilla. Otra rama se extendió por Cataluña, especialmente por Lleida y Tarragona. En Mazariego (Palencia) se concedió el privilegio de ostentar escudo de armas a D. Gaspar Alegre Blanco.

Armas

En campo de oro, un ala de azur.

Antecesores destacados

FRANCISCO JAVIER ALEGRE. Historiador mexicano (1729-1788), que ingresó en la Compañía de Jesús y enseñó humanidades en México, y retórica y filosofía en La Habana. Al promulgarse el decreto de destierro, marchó a Italia y fijo su residencia en Bolonia, en donde murió.

Alonso

APELLIDOS RELACIONADOS: Alfonso, Alfonseca, Alfonsín.

Etimología

Variante del nombre de pila Alfonso, del visigodo *Hathufuns*, de *hathus* («lucha», «batalla») y *funs* («listo»), es decir, «guerrero preparado para el combate».

Orígenes

De origen patronímico. Existe una casa solar que parece la más antigua (hacia el 670), la del valle de Valdivieso, provincia de Burgos. Su fundador se cree que fue Desiderio, sobrino del rey godo Wamba. Existe otra casa solar en Oviedo, y a partir de ahí el apellido se difundió por toda la península Ibérica. Como ejemplo podemos citar la rama de Castilla, compuesta por descendientes ilegítimos del rey Alfonso IX de Castilla. Por

su parte, las ramas de Aragón y Navarra descienden ilegítimamente de D. Alfonso I el Batallador, rey de Aragón. El caballero Fernando Alonso acompañó al Cid Campeador en la conquista de Valencia, donde permaneció posteriormente, y de esa manera surgió la rama valenciana del apellido.

Armas

En campo de plata, un león rampante de gules y bordura de oro con cinco cruces de Calatrava de gules.

Antecesores destacados

AGUSTÍN ALONSO. Poeta español del s. XVI, nacido cerca de Salamanca y autor de un poema épico en el que converge el romancero castellano con la tradición poética italiana.

DÁMASO ALONSO. Conocido filólogo y poeta español, nacido en Madrid en 1898. En 1968 fue nombrado director de la Real Academia Española, hasta que en 1975 presentó su dimisión.

Álvarez

APELLIDOS RELACIONADOS: Álvaro, Albar, Albares, Alvero.

Etimología

Patronímico de Álvaro, nombre de pila usado como apodo, derivado del visigodo *alwars*, formado por *all* («todo») y *wars* («prevenido»), es decir, «el que se defiende bien», «defensor de todos».

Orígenes

Apellido muy extendido, ya que existen diferentes casas solariegas con ese nombre en Asturias, León, Cáceres, Galicia, Navarra, Andalucía, Santander, Salamanca y Valladolid. Una de las ramas más antiguas se originó en el consejo de Nieva (Asturias) y a otras, de León y Cáceres, se las considera oriundas de Asturias.

Armas

Escudo partido: 1º, en campo de oro, un roble de sinople y un lobo de sable lampasado de gules, pasante al pie del tronco; y 2º, jaquelado de quince piezas, ocho de plata y siete de gules.

A

Antecesores destacados

DIEGO ÁLVAREZ CORREA. Navegante y aventurero gallego del s. XVI. Tras un naufragio, llegó a las costas de Brasil y llegó a casarse con la hija de un cacique. Murió en 1557, tras una vida azarosa.

SERAFÍN Y JOAQUÍN ÁLVAREZ QUINTERO. Conocidos comediógrafos españoles, nacidos en Utrera en 1871 y 1873, respectivamente. Tuvieron diversas ocupaciones, pero pronto se dedicaron al teatro en exclusiva. Su producción alcanza unas doscientas obras, entre comedias, dramas, sainetes y revistas.

Amat

APELLIDOS RELACIONADOS: Amado, Amador.

Etimología

Forma catalana de **Amado**, derivado del latín *amatum*, «amado», «querido».

Orígenes

La primera referencia a este apellido catalán se documenta en el año 924 con Rennico Amat, hijo del conde de Ampurias y de Amata de Llers. Muchos de sus descendientes

sirvieron a los reyes Alonso, Jaime I, Pedro III y Jaime II. Tuvo su casa solar en Barcelona, y de allí pasó a Castilla, Valencia y Cerdeña.

Ramón Amat fue gobernador de Cerdeña por cuenta del rey Fernando el Católico, y Pedro Amat, importante caballero, cedió terreno para edificar la iglesia del Pi en Barcelona.

Armas

En campo de gules, un brazo desnudo de carnación, saliente de una nube fija en el flanco siniestro, empuñando una espada desnuda, de plata; cortado de azur, con tres fajas ondeadas de plata.

Antecesores destacados

MANUEL DE AMAT Y JUNYENT. Militar español nacido en Barcelona en 1704, en el seno de una familia aristocrática, gracias a la cual siguió la carrera de militar. En 1755 fue nombrado gobernador y presidente de la Audiencia de Chile y, en 1761, virrey del Perú. Cesó de este cargo en 1776 y regresó a Barcelona, donde murió en 1782.

Andrés

APELLIDOS RELACIONADOS: Andrey, Andrada, Andradas, Andrade, San Andrés, Andreu, Santandreu.

Etimología

Nombre de pila usado como apellido, tomado del apóstol *Andreas*, derivado del griego *andreios*, «varonil», «masculino», y a su vez de *andros*, «varón». **Andreu** constituye la forma catalana y gallega de Andrés.

Orígenes

Apellido muy conocido por toda la península Ibérica. Se cree que su casa solar más antigua se encontraba en Sangüeso, en la provincia de Navarra, y gracias a la Reconquista el apellido se extendió por toda España, hasta Valencia y Andalucía.

Armas

En campo de azur, un puente de tres ojos, de oro, sobre
un río, y bajo su arcada central, tres rocas; en el jefe,
una cabeza de rey moro chorreando sangre.

Antecesores destacados

VICENT ANDRÉS ESTELLÉS. Poeta valenciano en lengua catalana, nacido en Burjasot en 1924. Ha publicado numerosos libros de poemas que le han valido la consideración
de mejor poeta en catalán de la región valenciana.

Ángel

A

APELLIDOS RELACIONADOS: Ángela, Angelina, Santángel.

Etimología

Derivado del latín *angelus*, y éste, del griego *ággelos*, «mensajero».

Orígenes

Apellido catalán, con casa solar en La Pobla de Segur (Lleida), desde donde se extendió a Aragón, Castilla y América. Según algunos tratadistas, este linaje procede de los
emperadores de Alemania y duques de Suecia, por lo que a él pertenecería Alfonso X
el Sabio.

Armas

En campo de oro, un ángel arrodillado y vestido de azur,
con una estola cruzada de gules y ceñida de un cordón
de oro.

Antecesores destacados

JUAN ÁNGEL RUIZ. Natural de Toledo, pasó al Nuevo Reino

de Granada, hoy Colombia, y fue sargento mayor de la ciudad de Vélez, comisario general de la guerra de los Jareguíes, encomendero de Ture, Oyba y Escagache, y progenitor de la rama en Colombia.

Antón

APELLIDOS RELACIONADOS: Antonio, Antoñanzas, Antúnez, Antolín, Antolí, San Antonio.

Etimología

A

Forma contracta de Antonio, derivado del nombre romano *Antonius*, seguramente de procedencia etrusca. En época cristiana se establecieron ciertas pseudoetimologías para relacionar el nombre de san Antonio con *ánthos*, «flor», pero Antonio no es el «floreciente» ni tampoco «el enemigo de los burros» (de *anti*, «opuesto», y *ónos*, «asno»).

Orígenes

Por su origen patronímico, existen muchas ramas de este apellido sin un tronco común entre ellas.

Armas

En campo de oro, un árbol de sinople y un lobo de sable pasante al pie del tronco; partido de plata con tres fajas de azur.

Antecesores destacados

LUIS ANTÓN DEL OLMET. Escritor y periodista nacido en Bilbao en 1866. Se doctoró en Derecho y llegó a diputado conservador en 1914. Murió a consecuencia de un trágico incidente con el escritor Alfonso Vidal y Planas, en Madrid, en 1926.

Aparicio

Etimología

Del latín *apparitio*, «aparición», aplicado a la aparición de los Reyes Magos.

Orígenes

Apellido con casa solar en Barruelos, en Cantabria. Descendientes de esta casa se extendieron por León, Salamanca, Toledo, Murcia, Aragón, Cataluña, Valencia, Extremadura y América (gracias a Miguel de Aparicio y Marín, que pasó a La Habana).

Armas

En campo de azur, un castillo de plata aclarado de azur, sobre una roca de su color natural; cortado de plata con una banda de sinople, engolada en cabezas de dragantes del mismo color, salpicadas de oro y lampasadas de gules. Bordura de azur con ocho veneras de plata.

Antecesores destacados

JOSÉ APARICIO. Pintor español, nacido en Alicante en 1773, y que estudió en París y Roma. En 1815 fue nombrado pintor de cámara de Fernando VII. Introdujo en España las normas del neoclasicismo. Su obra relevante es *El hambre en Madrid*.

Aragón

Etimología

Originario del nombre de una región española, uno de los antiguos reinos peninsulares,

por el río que desemboca en el Ebro. La raíz *ar*, de donde *ara*, *araco*, *Aragón*, corresponde al *aa*, *aar* célticos, «agua», «río».

Orígenes

Su procedencia tiene relación con Alonso de Aragón, parece que el primero en llevar el apellido. Este caballero era hijo natural del rey Juan II de Aragón, ostentaba el título de duque de Villahermosa y era maestre de la orden de Calatrava.

Armas

En campo de oro, cuatro palos de gules.

Antecesores destacados

ÁLVARO DE ARAGÓN. Hijo natural de Fernando el Católico y de Aldonza Iborre, nacido en 1470. Fue arzobispo de Valencia y posteriormente de Zaragoza, y llegó a constituir una amenaza para el rey cuando intentó alcanzar un entendimiento con su hermanastra Juana la Loca. Murió en 1520 siendo arzobispo de Tarragona.

Aranda

APELLIDOS RELACIONADOS: Arando, Arandiaga, Arango, Aranguren.

Etimología

Topónimo frecuente en la península Ibérica, quizá derivado del vasco *aran*, «endrino», con el sufijo locativo *–da*, «endrinal», o también del vasco *(h)aran*, «valle».

Orígenes

Su casa solar se encontraba en Medina de Pomar (Burgos), pero pronto se extendió a Aranda de Duero, en la misma provincia, cuando Romero de León arrebató la villa a los moros. Luego se extendió por Castilla, Aragón y Andalucía, y también por el País Vasco y Navarra con la variante de Arandia.

Armas

En campo de oro, un puente de piedra de tres arcos, bajo el que corre un río; sobre el puente de una torre, también de piedra, y a la orilla del río, una mata de romero, de sinople; bordura de plata con ocho arandelas de lanza, de azur.

Antecesores destacados

DIEGO DE ARANDA. Escultor español del s. XVI, colaborador de Diego de Siloé en varias de las obras que éste realizó en Granada.

FRANCISCO DE ARANDA. Conquistador español del s. XVI, que participó en las primeras expediciones a Colombia, donde fundó la ciudad de Vélez.

Araujo

APELLIDOS RELACIONADOS: Arauco, Araucoa.

Etimología

Variante vasca de Arauco, de *ara, arau* («helecho») y el sufijo de abundancia *–jo*.

Orígenes

Un descendiente del visigodo conde Ruderic erigió un castillo en Portugal, concretamente en un lugar denominado Araujo, a orillas del Miño. De allí, algunos de sus descendientes pasaron a Galicia, en concreto a Lovios, cerca de Bande (Orense), donde erigieron una capilla que desde entonces lleva el nombre de Araujo.

Armas

En campo de azur, una cruz llana de oro; medio partido de plata, con dos fajas de veros, y cortado de oro con una torre de piedra sobre ondas de agua. Bordura de gules con siete veneras de plata.

Antecesores destacados

ANTONIO ARAUJO DE AZEVEDO. Estadista portugués, nacido en 1754. Fue ministro de Estado en 1804 e indujo al rey Juan VI a refugiarse en el Brasil, a donde lo acompañó y en donde murió en 1817.

Arenas

APELLIDOS RELACIONADOS: Arena, Arenal, Arenales, Arenaza, Areny, Lerena.

Etimología

Del latín *harena*, derivado a su vez del verbo *areo*, «estar seco», aplicado a todo lugar seco, no necesariamente arenoso.

Orígenes

Apellido asturiano, de la parroquia de Arenas, en el ayuntamiento de Cabrales, de donde pasó a San Vicente de la Barquera, Castilla, el sur de España y México. Numerosos descendientes probaron nobleza en la Real Chancillería de Valladolid y en la Real Audiencia de Oviedo.

Armas

En campo de oro, un árbol de sinople y dos lobos pasantes al pie del tronco; bordura de plata con diez calderas de sable.

Antecesores destacados

BRAULIO ARENAS. Poeta chileno, colaboró en las revistas surrealistas *Mandrágora* (1938-1941) y *Leitmotiv* (1942-1943), y es autor de *El mundo y su doble* (1941) y *Adiós a la familia*.

Arias

Etimología

Derivado de nombres de los reyes suevos, cuya raíz germánica puede ser *–ar*, «águila». Parece patronímico de Ares, nombre bastante extendido en la Edad Media. Los vascólogos lo hacen derivar de *ara*, *ari*, «helecho», con el sufijo locativo *–as*, «helechal».

Orígenes

Sus orígenes se remontan a los reyes suevos que se instalaron en Galicia, pues es un apellido muy antiguo. Este linaje pasó después a Castilla, Aragón, Asturias (con la variante Argüelles), León y Andalucía, y los descendientes de todas estas ramas se fueron entroncando con familias nobles. San Rosendo, obispo de Santiago, era hijo del conde Gutierre Arias.

Armas

Escudo mantelado: 1°, en campo de plata, una cruz de Calatrava de gules; 2°, en campo de plata, un águila de sable, y en el mantel de gules, un castillo de plata.

Antecesores destacados

Pedro Arias de Benavides. Médico español, nacido en Toro (Zamora) en 1530. Estudió en Salamanca, pero poco después pasó a América, concretamente a Guatemala y México, donde realizó estudios sobre plantas medicinales.

Arnau

APELLIDOS RELACIONADOS: Arnal, Arnaldo, Arnáiz, Arnús, Arnalot, Vilarnau, Pernau.

Etimología

Nombre de pila germánico, usado como apodo, derivado de *Arnwald*, de *arn*, contracción de *arin*, «águila», y *wald*, «mando», «gobierno»; por tanto, «el que tiene el poder del águila». Respecto a sus variantes, **Pernau**, aglutinación de los nombres de pila catalanes Pere y Arnau; y **Arnáiz**, patronímico de Arnaldo.

A

Orígenes

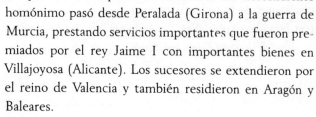

Apellido catalán, oriundo del condado de Ala (Sajonia), que vino a España a través del caballero Pere Arnau para participar en la conquista de Cataluña. Un descendiente homónimo pasó desde Peralada (Girona) a la guerra de Murcia, prestando servicios importantes que fueron premiados por el rey Jaime I con importantes bienes en Villajoyosa (Alicante). Los sucesores se extendieron por el reino de Valencia y también residieron en Aragón y Baleares.

Armas

En campo de azur, una flor de lis de plata, sobremontada de un medio vuelo de oro.

Antecesores destacados

JOAN ARNAU I PALAU. Marinero catalán, nacido en Mataró en el s. XVII. Participó en numerosos hechos de armas de la época y se distinguió en Portugal bajo las órdenes del marqués de Santa Cruz. En 1588 comandó una nave artillada de la Armada Invencible. Murió en 1612 capitaneando la galera *Sant Ramon*.

Arroyo

Etimología

Palabra hispánica recogida por Plinio (s. I), convertida en el latín *arrugia*, propia de las minas de oro: «galería de mina», que ha evolucionado a «canal», «riachuelo», «acequia».

Orígenes

Apellido castellano, del lugar del mismo nombre en la provincia de Burgos (valle de Valdivieso). Se extendió por toda la península Ibérica y llegó a tierras americanas.

Armas

En campo de plata, cuatro palos de azur, y sobre el todo, una banda de oro; bordura de gules con ocho aspas de oro.

Antecesores destacados

JUAN FRANCISCO ARROYO. Compositor español, nacido en Oyarzun (Guipúzcoa) en 1818, y autor de distintas óperas de la época. Murió en 1886 en Oporto (Portugal).

Ávila

Etimología

Originario de la ciudad castellana del mismo nombre, antiguamente *Abula*. Derivaría de un antropónimo germánico, *Abila*, o bien del nombre personal *Awila*. También se ha citado *Abyla*, un promontorio de Mauritania, por lo que se le ha llegado a atribuir un dudoso origen fenicio.

Orígenes

Desde la ciudad de Ávila, dos grandes familias extendieron el apellido por ambas Castillas, Navarra y el resto de la península Ibérica, donde se encuentran otras casas solares; varias ramas llegaron a América. Los descendientes, que contaron con títulos de nobleza e ingresaron en órdenes militares, llegaron a ocupar cargos de responsabilidad, como gobernadores o alcaides mayores. El apellido posee privilegio de hidalguía por cuanto Diego de Ávila, en 1528, hizo prisionero al rey de Francia en la batalla de Pavía.

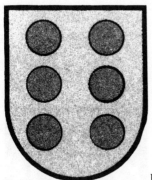

Armas

En campo de oro, seis roeles de azur.

Antecesores destacados

Alonso Dávila. Conquistador español del s. XVI, que participó en la expedición de Francisco de Montejo al Yucatán. Fundó Villa Real, en la costa de Chetumal, y regresó a España en 1533.

Maestro de Ávila. Pintor activo en Ávila en el último tercio del s. XV; una de las figuras más importantes de la pintura castellana de influencia flamenca.

Alonso de Ávila. Conquistador español, nacido en Ciudad Real en 1486, que pasó a América con la expedición de Pedrarías, se estableció en Cuba y participó en la conquista de México, donde murió en 1542.

Balbuena

APELLIDOS RELACIONADOS: Valbuena, Valbona, Balboa, Val, Valle, del Valle, Delvalle, Lavalle, Valles, Vall, Valls, Vallès, Ovalle, Oballe, Aballe, Valverde, Vallejo.

Etimología

Forma castellana de Balboa, nombre de tres poblaciones gallegas y dos leonesas, derivado del latín *vallis bona*, «valle bueno», «valle frondoso». Véase **Valle**.

Orígenes

Apellido cuya casa solariega sitúan algunos tratadistas en Asturias, y otros, en Galicia. Luego se extendió por Aragón, Andalucía y ambas Castillas.

Armas

Escudo partido: 1º, en campo de gules, un castillo redondo de plata almenado de tres almenas y donjonado en tres torres; y 2º, en campo de sinople, un dragón de oro luchando con un león del mismo metal coronado también de oro, al que ayuda un caballero armado, de plata.

Antecesores destacados

BERNARDO DE BALBUENA. Poeta español, nacido en Valdepeñas en 1568. Es autor del poema *Bernardo o la victoria de Roncesvalles*, obra característica de la épica del barroco.

Ballester

APELLIDOS RELACIONADOS: Ballestero, Ballesteros, Ballesta, Besteiro.

Etimología

Forma catalana de Ballestero. Véase **Ballesteros**.

Orígenes

De origen catalán, se extendió por Valencia, Baleares, Murcia, Aragón, Navarra y Castilla. El caballero Arnaldo Ballester sirvió al rey Jaime I, al cual acompañó en la conquista de Valencia, mientras que Miguel Ballester fue caballero de la orden de Calatrava en 1636.

Armas

En campo de gules, una ballesta de plata con las cuerdas de oro.

Antecesores destacados

JUAN BALLESTER. Religioso carmelita español, nacido en Campos (Mallorca) en 1306. Ingresó en la orden carmelita en la ciudad de Palma, siendo elegido general de la orden en 1358. Fue doctor y profesor de teología en la Sorbona (París), y escribió *Constituciones de la orden de los carmelitas*. Falleció en Mallorca en 1374.

Ballesteros

APELLIDOS RELACIONADOS: Ballestero, Ballester, Ballesta, Besteiro.

Etimología

Del latín *ballistarius*, «soldado que tiraba con la ballesta», derivado a su vez de *ballista*, préstamo del griego *ballistás*, y a su vez de *balloo*, «tirar», «lanzar», «arrojar», es

decir, «instrumento bélico para disparar flechas y saetas». En la Edad Media pasó a designar a quien cuidaba de las armas de las personas reales y las asistía durante la celebración de cacerías.

Orígenes

Apellido castellano, muy extendido en toda la península Ibérica.

Armas

En campo de azur, dos saetas de plata puestas en sotuer, puntas arriba, y en el centro sobre ellas, una estrella de oro.

Antecesores destacados

ANTONIO BALLESTEROS Y BERETTA. Historiador español (1880-1949), catedrático de las universidades de Sevilla y Madrid. Sus obras principales son *Historia de España y su influencia en la historia universal* (1918-1941) y *Cristóbal Colón y el descubrimiento de América* (1945).

Barrios

APELLIDOS RELACIONADOS: Barrio, Barriada, Barrionuevo, Barri, Barris.

Etimología

Del árabe *barri*, «exterior», y éste a su vez de *barr*, «afueras de la ciudad». De los s. XIII al XVI significaba «aldehuela dependiente de una población», de donde pasó a «arrabal» y, luego, a «zona de una ciudad».

Orígenes

B

Se cree que este apellido es vasco, pero se extendió con bastante rapidez por toda la península Ibérica. Más concretamente, se tiene noticia de algunas ramas establecidas por Castilla, muy especialmente en Burgos. Algunos caballeros con este apellido tomaron parte en la reconquista de Granada.

Armas

En campo de plata, dos perros atigrados y puestos en palo; cortado de sinople, con dos castillos de oro, y entre ellos, un guerrero armado de plata. Otro guerrero está en la ventana de la torre del homenaje del castillo, a la izquierda.

Antecesores destacados

MIGUEL DE BARRIOS. Escritor español, nacido en Montilla en 1635. Hijo de un judío converso, de origen portugués, tenía un espíritu aventurero, por lo que luchó en Flandes, Italia y Francia. Posteriormente desarrolló gran actividad en las sinagogas de Amsterdam, donde murió en 1701.

Bautista

APELLIDOS RELACIONADOS: Batista, Baptista, Bautiste.

Etimología

Derivado del nombre griego *Baptistes*, «el que bautiza», alusivo a san Juan Bautista.

Orígenes

B

Linaje de origen aragonés, cuya casa solar se encuentra en Mallén-Borja (Zaragoza). De todas sus ramas sobresalieron cortesanos y, sobre todo, diplomáticos. Una importante rama pasó a América.

Armas

En campo de oro, un león rampante de gules, cortado también de oro, con cinco bandas de azur.

Antecesores destacados

FRANCISCO BAUTISTA. Arquitecto español, nacido en 1594, que perteneció a la Compañía de Jesús y fue uno de los representantes más destacados de la arquitectura barroca castellana. Su obra más importante fue la finalización de las obras de la iglesia de San Isidro en Madrid.

Bello

APELLIDOS RELACIONADOS: Bel, Bella, Bellas, Bellido, Belló, Belloch.

Etimología

Derivado del latín *bellus*, «bello», dado como apodo o augurio a un recién nacido. Respecto a sus variantes, **Belloch**, «lugar bello».

Orígenes

Apellido gallego, de la población del mismo nombre en la provincia de La Coruña, muy extendido posteriormente por la península Ibérica. La nobleza del apellido se demostró con el ingreso de diversos descendientes en las órdenes militares.

Armas

En campo de azur, dos bordones de plata. Bordura de oro, con cinco veneras de gules.

Antecesores destacados

ANDRÉS BELLO. Humanista venezolano (1781-1865), fue uno de los redactores de *La Gaceta de Caracas* (1808). Inició las carreras de derecho y medicina y ejerció la docencia privada; Simón Bolívar fue uno de sus alumnos. Fue oficial primero de la secretaría de estado y nombrado secretario de la misión que viajó a Londres en relación a la independencia americana.

Beltrán

APELLIDOS RELACIONADOS: Bertrán, Baltrán, Bertrand, Beltrana, Beltrà, Beltranena.

Etimología

Derivado del germano *Berachthraban*, de *beracht* («brillante», «ilustre») y *hraban* («cuervo»), el ave sagrada de Odín, «el cuervo resplandeciente».

Orígenes

Llevan este apellido los descendientes de un caballero que integraba la armada del caudillo Mendo de Rausona, hermano del último rey de los longobardos de Italia. Durante la Reconquista, el apellido se extendió por toda la península Ibérica y una de sus ramas pasó al continente americano.

Armas

En campo de gules, un castillo de oro; partido de azur, con tres flores de lis de oro. Bordura de plata, con el lema «Veritas Vincit».

Antecesores destacados

DOMINGO BELTRÁN. Escultor español, nacido en Vitoria en 1535. Ingresó en la Compañía de Jesús y trabajo para diversas casas de la comunidad religiosa a lo largo de su vida.

Benítez

APELLIDOS RELACIONADOS: Benito, Benedicto, Benedid, Beneito, San Benito, de Benito, Benet.

Etimología

Patronímico de Benito. Véase **Benito**.

Orígenes

Se cree que sus inicios radican en Asturias, pero en todo caso el apellido se extendió rápidamente por toda la península Ibérica poco después de finalizar la Reconquista, y ha tenido mucha difusión en Sudamérica.

Armas

En campo de plata, un peral de sinople con dos lobos empinados al tronco. Bordura de gules, con ocho cruces floreteadas, de oro.

Antecesores destacados

CAYETANO BENÍTEZ. Dominico y teólogo español del s. XVIII. Fue catedrático de la Universidad de Salamanca y miembro del Tribunal de la Inquisición.

Benito

APELLIDOS RELACIONADOS: Benítez, Benedicto, Benedid, Beneito, San Benito, de Benito, Benet.

Etimología

Forma actual de Benedicto, derivado del latín *Benedictus*, y éste de *bene*, «bien», y *dicere*, «decir», por tanto equivalía a «hablar elocuentemente».

Orígenes

Sus orígenes se centran en León, pero se extendió después a toda la península Ibérica.

Armas

En campo de oro, un árbol de sinople y un león de gules empinado al tronco.

Antecesores destacados

LORENZO BENITO Y ENDARA. Jurista español (1855-1932), fue catedrático de diversas universidades y el creador de la moderna escuela española de mercantilistas. Su obra más importante es *Lecciones de derecho mercantil* (1904).

Bermejo

APELLIDOS RELACIONADOS: Bermillo, Bermell.

Etimología

Procedente del latín *vermiculus*, diminutivo de *vermis*, «gusanillo», «cochinilla», que ya se usó en la Edad Media con el significado de «encarnado», por el empleo de quermes o cochinilla para producir el tinte grana.

Orígenes

Apellido de origen castellano.

Armas

En campo de oro, un pino de sinople y una oveja al natural, atravesada al pie del tronco y pastando en un prado de sinople.

Antecesores destacados

B

BARTOLOMÉ BERMEJO. Pintor español, nacido en Córdoba en el s. XV. Su estilo estuvo muy influido por la escuela flamenca. Trabajó en Valencia, Zaragoza y Barcelona, donde se encuentra su obra más conocida, *La Piedad,* en el interior de la catedral.

Bermúdez

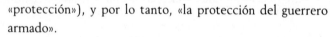

APELLIDOS RELACIONADOS: Bermudo, Bermundo, Senglars, Sanglàs.

Etimología

Patronímico de Bermudo, derivado del nombre germánico *Bermund,* compuesto por *ber* («jabalí», metafóricamente «guerrero armado») y *mund* («mano», metafóricamente

«protección»), y por lo tanto, «la protección del guerrero armado».

Orígenes

La casa solar de este apellido gallego, fundada por Trojas Bermuiz o Bermúdez, radica en los actuales límites de las provincias de Pontevedra y La Coruña. Trojas Bermúdez entroncó con los descendientes del conde Suero Bermúdez, señor de la Torre de Bermuy, enclavada en Moutas-Órdenes (La Coruña). Actualmente se supone que los apellidados Bermuy siguen la rama del conde Suero, y los Bermúdez, la rama de Trojas.

Armas

Escudo jaquelado de plata y gules.

Antecesores destacados

FRANCISCO BERMÚDEZ DE PEDRAZA. Historiador español, nacido en Granada en el s. XVIII. Agente mayor de Felipe IV, abogado de sus Reales Consejos y canónigo de la catedral de Granada.

Bernal

APELLIDOS RELACIONADOS: Bernaldo, Bernaldos, Bernardo, Bernales, Bernáldez, Bernau, Bernaus, Bernat, Bernardino, Bernadó, Bernada, Bernadas, Barnadas, Bernola, Barnola, Bernartena.

Etimología

Forma antigua de Bernardo, del germano *Berinhart*, compuesto de *bero*, *berin* («oso», en realidad «bruno», por el color de su pelambre) y *hart* («fuerte», «atrevido»). Por tanto, equivalía a «oso valiente» y, metafóricamente, a «guerrero audaz».

Orígenes

Originario de Francia, vino a España hacia el año 1600 y se extendió por Cataluña, Aragón, Valencia y Navarra. La concreción del apellido en Bernal o Bernat depende de las regiones. Algunos de sus descendientes ingresaron en las órdenes militares de Santiago y Carlos III.

Armas

En campo de gules, un hacha encendida de oro.

Antecesores destacados

ANTONIO BERNAL. Compositor español del s. XVI, maestro de capilla en Sevilla.

HERNANDO BERNAL. Escritor español del s. XVI, nacido en Medellín (Badajoz), fue autor de una novela de caballerías en la que narra cómo el protagonista llegó a rey de Bohemia.

Blanco

APELLIDOS RELACIONADOS: Blanco, Blanca, Blancas, Blanes, Blanquer, Blánquez, Bláquez, Blanc, Blanch, Blanchart, Blanxart, Branco.

Etimología

Nombre de pila, tomado del germánico *blank*, «brillante como la nieve», aplicado al color del cabello, de la barba o de la piel, o en el sentido figurado de «resplandeciente». Respecto a sus variantes, **Blanchart** y **Blanxart** proceden de *blank* y de *hard* («duro», «fuerte»).

Orígenes

Apellido originario de las montañas de León, en sus límites con Asturias. En general, sus poseedores fueron caballeros que se distinguieron en las campañas de la Reconquista. El apellido se extendió al resto de la península Ibérica y luego pasó a Filipinas, Chile y Venezuela. Varios descendientes de la rama vallisoletana ingresaron en las órdenes de caballería, como la de Santiago y la de Carlos III.

Armas

En campo de gules, un castillo de plata, aclarado de azur; partido de sinople, con tres fajas de oro. Bordura de azur, con ocho aspas de oro.

Antecesores destacados

RAMÓN BLANCO Y ERENAS, MARQUÉS DE PEÑA PLATA. Militar español, nacido en San Sebastián (1833), que en 1861 tomó parte en la campaña de Santo Domingo y estuvo más tarde en Filipinas y en Cuba, en donde fue capitán general de ambas islas.

Manuel Blanco. Agustino y botánico, nacido en Navianos en 1778. Viajó a Filipinas, donde estudió el tagalo y la diversidad botánica del territorio.

Blasco

Apellidos relacionados: Velasco, Velázquez, Blázquez, Balasc, Balach, Belascoain.

Etimología

Nombre de pila frecuente en la Edad Media, que se considera una variante de Belasco, del vasco *bela* («cuervo») con el sufijo *–sco*, con cierto matiz afectivo o de diminutivo. Sin embargo, la forma vasca primitiva parece ser *Berasco*.

Orígenes

Apellido cuya casa solar se estableció en las montañas de Jaca. En las crónicas de su época aparecen Lope Blasco y Ferriz Blasco, ricoshombres del rey Ramiro el Monje. También se tiene noticia de Galacián de Blasco, que participó activamente en la reconquista de Valencia junto al rey Jaime I.

Armas

En campo de plata, un buey pasante, de su color natural.

Antecesores destacados

Vicente Blasco Ibáñez. Novelista español, nacido en Valencia en 1867. Tras ser diputado republicano, se estableció en Argentina, donde fundó la colonia Cervantes. Vivió un tiempo en París y murió en Menton (Francia) en 1928. Su obra más significativa y conocida es *Cañas y barro*.

Blá3que3

APELLIDOS RELACIONADOS: Blasco, Velasco, Velázquez, Balasc, Balach, Belascoain.

Etimología

Patronímico de Blasco. Véase **Blasco**.

Orígenes

Sus orígenes se hallan en Ávila, aunque durante la Reconquista se extendió por toda la península Ibérica.

Armas

En campo de azur, una banda de oro, acompañada de seis bezantes de oro, tres arriba y tres abajo, todos bien ordenados.

Antecesores destacados

TOMÁS BLÁZQUEZ DE OLIVER. Capitán del ejército del s. XVII, natural de Sevilla. Ingresó como caballero de la orden de Santiago en 1681. Antes había pasado al Perú, en donde casó con D. Francisca Antonia Paravicino, natural de Arequipa.

Bretón

APELLIDOS RELACIONADOS: Bretones, Bretons, Breto, Bretaño, Brotón, Brotons.

Etimología

Gentilicio de la bretaña francesa, del germánico *brit*, «britano», para referirse a los habitantes celtas que en el s. V huyeron de la conquista anglosajona.

Orígenes

Oriundo de Francia, el apellido pasó a España gracias a Pedro Bretón, quien en 1603 luchó a las órdenes de Enrique de Trastámara y fundó su casa solar en la villa de Huerta (Salamanca). Sus descendientes se extendieron por Castilla, Cataluña y Andalucía, tomando el apellido las particularidades de cada zona: Bretón, en Castilla, León, Extremadura y Andalucía, y Brotón o Brotons, en Cataluña y Levante.

Armas

En campo de oro, dos llaves de azur puestas en sotuer con las anillas hacia abajo y atadas con una cadena de hierro; partido de oro con cuatro bandas de azur, y en puente, una flor de lis de gules.

B

Antecesores destacados

MANUEL BRETÓN DE LOS HERREROS. Dramaturgo y poeta español, nacido en Quel (La Rioja) en 1796. Su vida transcurrió en el seno de la burguesía madrileña, a la que retrató en sus comedias. Murió en Madrid en 1873.

Bueno

APELLIDOS RELACIONADOS: Bono, Bonilla, Bo, Bonnín, Bofill, Bona, Bonsoms, Bonshoms, Bosoms, Bonet.

Etimología

Apodo de buen agüero, del latín *bonus*, «bueno», y forma moderna de Bono. Respecto a sus variantes, **Bonshoms**, «buen hombre»; **Bofill**, «buen hijo», y **Bonnín**, «buen niño».

Orígenes

Parece ser que la casa solar de mayor antigüedad se encuentra en el valle de Mena, en Burgos, pero se extendió muy rápidamente por toda la península Ibérica y llegó al continente americano. Dos caballeros son conocidos dentro de este linaje: José Bueno, de Bilbao, y Juan Bueno Baeza, los cuales ingresaron en la orden de Santiago. Su nobleza quedó establecida en la Real Chancillería de Valladolid en los años 1546, 1553 y 1766.

Armas

En campo de azur, cinco alabardas de oro, puestas en sotuer; bordura de plata, con una parra frutada de sinople.

Antecesores destacados

MANUEL BUENO. Escritor español, aunque nacido en Pau (Francia) en 1874. Fue uno de los más cotizados periodistas de principios de siglo y elemento significativo de la generación del 98. Su producción literaria comprende todos los géneros. Falleció en Barcelona en 1936.

B

Burón

APELLIDOS RELACIONADOS: Buro.

Etimología

Localismo derivado del francés antiguo *burel*, *buriau* («paño de color gris»), quizá derivado del romance *burius*, que ha dado el italiano *buio*, «oscuro». Las formas derivadas pasaron a aplicarse secundariamente como adjetivos de color.

Orígenes

Apellido castellano muy antiguo, de la villa del mismo nombre en el partido judicial de Riaño (León), según unos tratadistas, o de la villa situada cerca de la actual Vivero (Lugo), según otros. Una de las principales ramas pasó a Venezuela en la persona de Evaristo Buro, capitán de armas en el s. XVIII.

Armas

En campo de oro, una torre de azur, y posado en sus almenas, un halcón al natural; bordura de azur, con tres flores de lis de oro, una en el centro de la parte superior, y otra en cada flanco.

Antecesores destacados

JERÓNIMO BURÓN Y CONESA. Natural de Sevilla, fue alcalde mayor de la ciudad. Ingresó como caballero de la orden de Santiago en 1625. Pasó a América y se casó con D.ª Antonia María de Mendoza, de la ciudad de Los Reyes (Perú).

Bustamante

APELLIDOS RELACIONADOS: Busto, Bustos, Bustillo, Bustelo, Bustelos.

Etimología

Apellido formado por Busto, del latín *bustum* («lugar donde se incineraban los cadáveres»), y por el antiguo *mantum*, de manere («quedarse», «morar»), de donde significaría «morada de los incinerados».

Orígenes

Apellido castellano. Algunos tratadistas afirman que su origen se sitúa en la primitiva casa solariega de Valle de Campoo de Yuso, en Reinosa (Cantabria), mientras que otros creen que el apellido es oriundo de la merindad de Aguilar de Campoo (Palencia), antiguamente conocida como Costana de Bustamante, aunque cabe la posibilidad de que fueran los poseedores del apellido quienes dieran nombre a la comarca. El solar de Reinosa procede de D. Rodrigo, un sobrino de Carlomagno. Durante el reinado de Alfonso VI de Castilla, alrededor del año 1100, varios caballeros destacaron por sus hazañas en el campo de batalla. Diversos descendientes probaron nobleza en las órdenes militares de Calatrava, Alcántara y San Juan de Jerusalén. Una rama pasó a América, estableciéndose primordialmente en Chile, México y Argentina.

Armas

En campo de plata, trece roeles de sable.

Antecesores destacados

JUAN ALONSO DE BUSTAMANTE. Metalúrgico español del s. XVII. Construyó los primeros hornos de aludeles para el tratamiento de los minerales de azogue de Almadén.
A título de recompensa se le nombró, en 1649, corregidor de Cuzco, cargo que no
llegó a desempeñar.
JOSÉ MARÍA BUSTAMANTE. Maestro de capilla y compositor mexicano, nacido en Toluca
en 1777. Escribió música sacra para las capillas de la catedral de México de las cuales fue maestro.

C

Caballero

APELLIDOS RELACIONADOS: Caballeros, Caballo, Caballín, Caballer,
Caballeda, Cavaller, Cavallé, Caballer, Caballé, Cabalgante.

Etimología

Del latín tardío *caballarius*, derivado de *caballus*, «caballo», forma que acabó sustitu-
yendo a *equus*. También se refería al oficial o miembro de la caballería como institución
feudal, lo que originó la dignidad de caballero.

Orígenes

Su casa solar se encuentra en la villa aragonesa de Alcañiz
(Teruel), desde donde se extendió a las tierras de Castilla,
Andalucía y, por la parte norte, hacia Asturias. Una de las
ramas de este linaje cruzó el Atlántico y llegó a México.

Armas

En campo de gules, un caballero, armado de plata, jinete en un
caballo del mismo metal, con una espada desnuda en la mano diestra y una rodela en
la siniestra.

Antecesores destacados

ANTONIO CABALLERO. Misionero español, nacido en Palencia en 1602 y muerto en China en 1669. Ingresó de muy joven en la orden franciscana y, tras diversos avatares, viajó a China, donde residió hasta su fallecimiento.

Cabello

APELLIDOS RELACIONADOS: Cabellos, Cabellero.

Etimología

Derivado del latín *capillus*, «cada uno de los pelos que nacen en la cabeza», y más tarde, «conjunto de todos ellos». Aplicado a alguien de cabellera abundante.

Orígenes

Apellido castellano muy antiguo, existente en tiempos del rey D. Pelayo, con casa solariega en Espinosa de los Monteros (Burgos). Diversos caballeros de este linaje se distinguieron en la defensa de San Esteban de Gormaz, por lo que gozaron del privilegio de ostentar en su escudo de armas el castillo de la población.

Armas

En campo de sinople, una torre de plata. Bordura de oro con ocho estrellas de azur.

Antecesores destacados

MERCEDES DE CARBONERA CABELLO. Novelista peruana (Moquaqua 1845-Lima 1909). Es autora de novelas y ensayos naturalistas, como *Sacrificio y recompensa* (1886), en los que ataca a las clases altas.

Cabrera

Etimología

Forma femenina de Cabrero, del latín *caprarius*, «pastor de cabras», y éste de *capra*, «cabra». Respecto a sus variantes, **Cabrisses** y **Cabrisas**, plurales de la voz arcaica *cabrissa*, «corral de cabras».

Orígenes

De origen muy antiguo, se cree que caballeros con este apellido lucharon contra los árabes. El apellido se originó en Galicia, a partir del caballero Sancho el Velloso, hijo natural de Ramiro III de León; se extendió por toda la península Ibérica y llegó a Canarias, de donde se tiene constancia de Alonso de Cabrera. Una rama pasó a Cataluña y otra a la conquista de Córdoba, donde fundó casa.

Armas

En campo de oro, dos cabras de sable, pasantes, puestas en palo.

Antecesores destacados

JERÓNIMO LUIS DE CABRERA. Conquistador español, nacido en Sevilla en 1528. Marchó muy joven a las Indias, donde tomó parte en el levantamiento de Francisco Hernández Girón. Después llegó a ejercer de gobernador de Tucumán. Tras una serie de dasacuerdos políticos, fue encarcelado y ajusticiado en Santiago del Estero.

Calderón

Etimología

Aumentativo de *caldera*, proveniente del latín *caldaria*, derivado de *caldus*, forma sincopada de *calidus*, «caliente», aplicado al lugar de surgencias de agua a temperatura elevada. También designa a un signo ortográfico antiguamente usado como párrafo.

Orígenes

La casa solariega de este apellido castellano se encontraba en el valle de Ayala, aunque se extendió rápidamente por toda la península Ibérica. Según se cuenta, un niño de la familia Ortiz estaba tan débil al nacer que su ama, para intentar reanimarlo, lo introdujo en una caldera de agua templada. De ahí el aumentativo Calderón. De toda esta historia, lo realmente constatado es que Fortún Ortiz pasó a llamarse Fortún Calderón.

Armas

En campo de oro, dos calderones de sable un poco cerrados hacia la boca y puestos en situación de palo.

Antecesores destacados

PEDRO CALDERÓN DE LA BARCA. Poeta y dramaturgo madrileño, nacido en el 1600. De familia noble, empezó a escribir a temprana edad y sirvió en Flandes. De regreso a Madrid, se ordenó sacerdote en 1651 y siguió escribiendo dramas y autos sacramentales hasta su muerte. Destacan obras como *La vida es sueño*, *El alcalde de Zalamea* y *La dama duende*.

SATURNINO CALDERÓN COLLANTES. Político español, nacido en Reinosa (Cantabria) en 1799. Fue miembro del partido progresista y llegó a ser ministro con Espartero y, posteriormente, con Narváez y O'Donnell. Murió en París en 1864.

Calles

APELLIDOS RELACIONADOS: Calle, de la Calle, Lacalle, Calleja, Callejas, Call, Calls, Callís.

Etimología

Del latín *callis*, «sendero estrecho», que más tarde significó «vía en poblado». Respecto a sus variantes, **Callís**, del bajo latín *callicus*, «camino entre dos paredes o hileras de árboles».

Orígenes

Apellido castellano, con casa solariega en la villa de Guardo, partido judicial de Saldaña

(Palencia). De rancia nobleza, el apellido se extendió por la península Ibérica y pasó a América, en donde uno de sus descendientes fue nombrado alcalde de fortaleza e intendente por Felipe II.

Armas

En campo de gules, una cruz llana de oro, cantonada de cuatro flores de lis de plata.

Antecesores destacados

PLUTARCO ELÍAS CALLES. Político mexicano (Guaymas, Sonora, 1877-Cuernavaca 1945). Fue gobernador del estado de Sonora (1912-1919), donde realizó una gran labor social. Luego fue nombrado secretario de Gobernación y se convirtió en el brazo derecho del presidente Obregón, al cual sucedió en 1924. Emprendió un gran plan de construcción de caminos, prosiguió las reformas agrarias, reorganizó el ejército y estableció la Dirección General de Pensiones.

Calvo

APELLIDOS RELACIONADOS: Calvino, Calviño, Calvar, Calveiro, Calvano, Calvete, de la Calva, Calvín, Calvet, Calvero, Calvera, Calveres, Calvó, Calvell, Caus.

Etimología

Del latín *calvus*, «que ha perdido el pelo de la cabeza», mote aplicado desde el s. XIII. Respecto a sus variantes, **Calvero**, por analogía, se refiere a «puntos limpios de vegetación» (*calveros*), y **Caus** tal vez provenga del provenzal *caus*, «calvo».

Orígenes

Se cree que el apellido desciende del conde Laín Calvo, que fue juez de Castilla. El apellido se extendió por toda la península Ibérica y una de las ramas pasó a tierras americanas. Durante la Reconquista, las crónicas recogen la participación de numerosos caballeros con este apellido, especialmente procedentes de Palencia, Burgos, Zamora y Valladolid.

Armas

Escudo partido: 1°, en campo de oro, una faja de gules; y 2°, en campo de gules, cinco puntas de lanza de plata puestas en sotuer, medio cortado de gules, con seis bandas de sinople. Bordura de gules, cargada la mitad diestra de aspas de oro, y la mitad siniestra de este lema, en letras de oro: «Cum ferro et lancea vici».

Antecesores destacados

PEDRO CALVO DE BARRIENTOS. Conquistador español del s. XVI, que formó parte de la expedición dirigida por Pizarro y Almagro.

JOSÉ CALVO SOTELO. Político nacido en la localidad gallega de Tuy en 1893. Inició su carrera política de la mano de Antonio Maura y fue nombrado gobernador de Valencia en 1921. Personaje polémico, fue asesinado en 1936.

Camacho

Etimología

De difícil etimología, quizá una variante de Gamero, del vasco Gama, de *ama*, «pasto», con *g* protética, y el sufijo diminutivo *–cho*, «la casa de Gama el pequeño».

Orígenes

Su origen se encuentra en el sur de la península Ibérica, concretamente en Jerez de la Frontera (Cádiz), de donde pasó a toda Andalucía, al resto de España y al continente

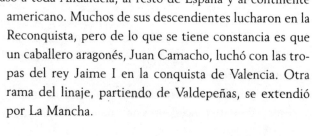

americano. Muchos de sus descendientes lucharon en la Reconquista, pero de lo que se tiene constancia es que un caballero aragonés, Juan Camacho, luchó con las tropas del rey Jaime I en la conquista de Valencia. Otra rama del linaje, partiendo de Valdepeñas, se extendió por La Mancha.

Armas

En campo de gules, una torre de plata, aclarada de azur, puesta sobre aguas de azur y plata y acostada de dos pinos al natural, surmontados de dos estrellas de oro.

Antecesores destacados

JUAN FRANCISCO CAMACHO. Hacendista y político español, nacido en Cádiz en 1817. En 1872 dirigió la cartera de Hacienda en un gobierno presidido por Sagasta. Fue también gobernador del Banco de España y el fundador de la Compañía Arrendataria de Tabacos. Murió en Madrid en 1896.

BARTOLOMÉ CAMACHO ZAMBRANO. Conquistador extremeño del s. XVI. Pacificó la región de Santa Marta, en Nueva Granada, y fundó la ciudad de Tunja.

Camino

APELLIDOS RELACIONADOS: Caminos, Caminero, Camins, Camí, Caminal, Caminals.

Etimología

Del latín *camminus*, «tierra hollada por donde se transita habitualmente», que a su vez procede del céltico *cammino*.

Orígenes

C

Apellido castellano. En una ejecutoria de nobleza de 1562 se indica que el linaje tiene su casa solariega en Ajo, en el partido judicial de Santoña (Cantabria), desde donde se extendió a Andalucía y Castilla, y pasó a América. Numerosos pueblos y municipios de la península Ibérica ostentan este nombre, seguido en cada caso de la designación local complementaria. El apellido probó nobleza en las órdenes militares de Calatrava y Alcántara. En 1538, el emperador Carlos I concedió escudo de armas a D. Juan del Camino, vecino de Guadalajara (México).

Armas

En campo de oro, un árbol de sinople, surmontado de una flor de lis de azur; bordura de gules, con ocho veneras de oro.

Antecesores destacados

LEÓN FELIPE CAMINO GALICIA. Poeta español, conocido como León Felipe (Tábara 1884-México 1968). Su poesía, áspera e intensa, denota una voluntad realista y coloquial, lo cual rompió todos los moldes del subjetivismo formalista vigente en la época. Entre sus obras destacan *Versos y oraciones de caminante* (1920-1929) y *Belleza cruel* (1958).

Campos

APELLIDOS RELACIONADOS: Campo, del Campo, Campillo, Campello, Campaña, Campiña, Campero, Campomanes, Campuzano, Ocampo, Camp, Camps, Campí, Campmany, Campabadal.

Etimología

Del latín *campus*, «llanura», «terreno extenso fuera de poblado», apodo empleado para distinguir a una familia por su lugar de residencia, lo que propició un gran número de derivados y formas compuestas. Respecto a sus variantes, **Campello**, del latín *campellus*, diminutivo, presenta una evolución vocálica característica de los mozárabes valencianos; **Campaña**, del latín *campania*, «llanura»; **Campomanes**, de un pueblo de Badajoz, antiguamente *Campus Marius*; **Ocampo**, «el campo», voz gallega; **Campabadal**, «campo del abad»; y **Campmany**, del latín *campus magnus*, «campo grande».

Orígenes

Apellido castellano oriundo de Tierra de Campos, en Valladolid, León y Palencia, que posteriormente se extendió por toda la península Ibérica y por América. Numerosos pueblos llevan este mismo nombre.

Armas

En campo de sinople, un aspa de oro.

Antecesores destacados

JOSÉ ANTONIO CAMPOS. Escritor ecuatoriano (1868-1939), nacido en Guayaquil. Fundó el Centro de Investigaciones Históricas y el Centro de Estudios Literarios, y a la vez desarrolló una intensa actividad periodística.

JUAN CAMPOS ORELLANA. Caballero que, en 1772, ingresó en la orden de San Juan de Jerusalén.

Cano

APELLIDOS RELACIONADOS: Canosa, Canuda, Canut, Canós.

Etimología

Del latín *canus*, «de pelo blanco», y también «viejo», «venerable». Véase **Elcano**.

Orígenes

Apellido de origen vasco, ya que una de sus casas solariegas más antiguas se encuentra en Bilbao, aunque pasó también a Cataluña, Valencia, Aragón, Baleares y llegó hasta Andalucía, por lo que no todos los linajes de esta denominación tienen un origen común. Algunos de sus descendientes participaron en la batalla de las Navas de Tolosa, junto a las tropas del rey Alfonso VIII, contra los árabes. Otros ingresaron en las órdenes de Santiago y de San Juan de Jerusalén.

Armas

En campo de plata, un león rampante de sable, con corona y cetro del mismo color.

Antecesores destacados

ALONSO CANO. Pintor, escultor y arquitecto, nacido en Granada en 1601. Fue discípulo de Francisco Pacheco y trabó amistad con Velázquez. Ejerció de racionero en la catedral de Granada, donde falleció en 1667.

Carbonell

APELLIDOS RELACIONADOS: Carbó, Carbonero, Carbonell, Carbons.

Etimología

Del latín *carbo, carbonis*, «carbón», «el que hace o vende carbón», y el diminutivo *–ellus*.

Orígenes

Apellido catalán, oriundo de Figueres (Girona) y diminutivo de Carbó. Otra casa solar muy antigua se encuentra en Sant Pere de Terrassa. El apellido pasó rápidamente a Murcia y Valencia y, posteriormente, a Baleares. Poncio Carbonell, caballero de Roses (Girona), sirvió al rey Jaime I; sufragó las tropas, desarrolló labores militares y participó en la conquista de Valencia, por lo que el rey lo premió con la concesión de diversas tierras recién conquistadas.

Armas

En campo de sinople, un castillo de plata.

Antecesores destacados

PERE MIQUEL CARBONELL. Archivero y humanista catalán, nacido en Barcelona en 1434. Juan II lo nombró jefe de su archivo real. En 1547 publicó *Crónicas de España*. Se le considera un gran humanista, pero que no supo aprovechar su talento. Murió en Barcelona en 1517.

ALONSO CARBONELL. Arquitecto español, nacido en Madrid en 1611. Fue aparejador de las obras del Alcázar de Madrid, del Palacio del Pardo y de la Casa del Campo, y en 1648 pasó a ser maestro mayor de todas las obras reales. Colaboró también en la construcción del Palacio del Buen Retiro y terminó el panteón del Escorial.

Carmona

Etimología

De la ciudad del mismo nombre, la antigua *Bustum Ustrinum* de los romanos, llamada por los vándalos *Carmo* o *Carmonia*. Algunos consideran que procede de *Car-Hammon*, «ciudad de Hammon» (divinidad cartaginesa), o que se trata de un topónimo de origen íbero compuesto por *car* («altura») y *mon* («fuerza»), con el sentido de «colina fuerte».

Orígenes

El apellido, con casa solar en Cabuérniga (Cantabria), adquirió máxima relevancia en tierras castellanas, de donde una rama pasó a Baeza (Granada), donde se fundó una nueva casa solar.

Armas

En campo de oro, un castillo de piedra, por cuya ventana de la izquierda sale un brazo armado de plata empuñando un manojo de saetas de sable. Bordura de gules con ocho aspas de oro.

Antecesores destacados

Luis Salvador Carmona. Escultor español, nacido en Nava del Rey en 1709. Llegó a ser director de la Academia de San Fernando. Junto con Mena, está considerado el escultor castellano más notable en imaginería religiosa del s. XVIII. Murió en Madrid en 1767.

Carrasco

Apellidos relacionados: Carrascal, Carrasca, Carrascosa, Carrasquilla, Carrasqueda.

Etimología

Derivado de *carrasca* («pequeña encina»), originado a partir de la raíz *karr-* o *carr-* («piedra», «roca»), ya que robles y encinas crecen esencialmente en lugares pedregosos. Respecto a sus variantes, **Carrasqueda**, en bable, significa «terreno incultivable y completamente estéril».

Orígenes

Es oriundo de las montañas de Burgos y una de sus ramas fundó casa en Chinchón (Salamanca). Su nobleza quedó probada en diversas órdenes militares.

Armas

En campo de plata, una carrasca de sinople y un jabalí de sable al pie de su tronco. Bordura de oro.

Antecesores destacados

MANUEL CARRASCO I FORMIGUERA. Abogado y político catalán, nacido en Barcelona en 1890. Formó parte de la Lliga Regionalista y colaboró en la fundación de Acció Catalana. Al proclamarse la República, fue diputado por Girona y consejero de la Generalitat de Catalunya. Durante la Guerra Civil, tras ser sometido a un consejo de guerra, fue condenado a muerte en 1938.

C

Carrillo

APELLIDOS RELACIONADOS: Carro, Carrera, Carrero, Carreras, Carreta, Carrete, Carretero, Carrión, Carrió, Carril, Carrer, Carré, Carreter, Carreté, Carroz.

Etimología

Diminutivo de Carro, del latín *carrus*, «carruaje de dos ruedas para enganchar el tiro», y éste a su vez de origen galo. Respecto a sus variantes, **Carril**, del latín vulgar *carrilis*, tomado de *currilis* («relativo al carro»). Véase **Carrión**.

Orígenes

Su origen radica en Burgos, desde donde se extendió al resto de la península Ibérica. Pasó rápidamente, desde Castilla, a las zonas colindantes, hasta llegar finalmente a Andalucía y, de allí, al nuevo continente. Enlazó con otras nobles familias, con lo que se formaron nuevos linajes en Toledo, Córdoba... Numerosos descendientes formaron parte de órdenes militares y de la Real Compañía de Guardias Marinas.

Armas

En campo de gules, un castillo de oro aclarado de azur.

Antecesores destacados

DIEGO DE CARRILLO. Desarrolló el cargo de virrey de Nueva España en el año 1624, y tal fue su eficacia, que llegó a encarcelar al arzobispo Juan Pérez de la Serna por corrupción.

ALFONSO CARRILLO. Eclesiástico español, nacido hacia el año 1410. Arzobispo de Toledo y cardenal, durante el reinado de Juan II alentó la Cruzada contra el reino de Granada y estuvo al frente del gobierno de Castilla durante la ausencia de Enrique IV. Posteriormente, fue partidario de Isabel, a la que apoyó durante la guerra de sucesión castellana. Murió hacia 1482.

C

Carrión

APELLIDOS RELACIONADOS: Carro, Carrió, Carrillo, Carrera, Carrero, Carreras, Carreta, Carrete, Carretero, Carril, Carrer, Carré, Carreter, Carreté, Carroz.

Etimología

Derivado de *(a)carreo*, y éste a su vez de *carrus*, por tanto, «el río de los acarreos». Véase **Carrillo**.

Orígenes

Apellido castellano, descendiente del caballero Alonso Carreño, que participó en la conquista de la villa de Carrión de los Condes, sirviendo al rey Alfonso el Casto, y tomó el apellido de dicha localidad, en donde fundó su casa solar. Alrededor del año 1147, el rey Alfonso II devolvió los privilegios sobre la villa a los ricoshombres Luis López de Carrión y Diego Muñoz de Carrión, que años atrás los habían perdido al ultrajar a las hijas del Cid Campeador. Entre la historia y la leyenda, se cuenta que los infantes Ferrán y Diego Golsálvez de Carrión vejaron a D.ª Elvira y a D.ª Sol atándolas desnudas a un árbol y azotándolas después.

Armas

Escudo partido: 1°, en campo de oro, tres matas de carrizo, de sinople, bien ordenadas; y 2°, en campo de sinople, cinco ruedas de carro, puestas en sotuer. Bordura con su mitad diestra de gules, con ocho aspas de oro, y la siniestra de azur, con ocho ruedas de carro de oro.

Antecesores destacados

JERÓNIMO CARRIÓN. Político ecuatoriano (1812-1873). En 1859, al ser derrocado el presidente Robles, formó parte del triunvirato que asumió el gobierno, y de 1865 a 1867 ejerció la presidencia.

C

Casas

APELLIDOS RELACIONADOS: de la Casa, de las Casas, Casas, Lacasa, Casero, Caseiro, Casado, Casal, Casillas, Casino, Casinello, Casona, Casares, Cases, Casassas, Caselles, Caelles, Casulleres, Casals, Casanova, Casadesús, Casasús, Casademont, Cánovas.

Etimología

Del latín *casa*, «choza», «cabaña», que ha dado lugar a innumerables topónimos y calificativos personales. Respecto a sus variantes, **Casado**, de *casar* («contraer matrimonio»), derivado antiguo de casa con el sentido de «poner casa aparte»; **Casal**, de *casalis*, con el sentido de «casa solariega» o «casa grande»; **Casademont**, «casa en el monte»; **Casanova** y **Cánovas**, «casa nueva»; **Casino**, «casa de recreo»; **Casulleres**, de **Caselles**, derivado del bajo latín *casellae*, diminutivo; y **Casasús** y **Casadesús**, «casa de arriba».

Orígenes

De este linaje procede el ducado de Osuna. Casas constituye una castellanización del Casaus o Casaux francés, titular del vizcondado de Limoges, de donde procedían los hermanos Guillén y Bartolomé, los cuales, al servicio del rey Fernando III, conquistaron la ciudad de Sevilla. Esta acción les valió el reconocimiento real. Sus restos se encuentran actualmente en una capilla de la catedral. Una rama sevillana de Casas pasó a Canarias.

Armas

En campo de oro, cinco roques de ajedrez de gules puestos en sotuer. Bordura de azur con ocho cabezas de águila de oro degolladas.

Antecesores destacados

RAMÓN CASAS. Pintor y dibujante catalán, nacido en Barcelona en 1866, uno de los máximos representantes del modernismo en Cataluña. Sus retratos al carboncillo definen todo el estilo de vida de una época y presentan un trazado muy rápido, pero de gran realismo. Uno de sus cuadros de tema social más conocido es el titulado *La carga de la guardia civil*. Murió en Barcelona en 1932.

C

Castaños

APELLIDOS RELACIONADOS: Castaño, Castán, Castaneda, Castañeda, Castañer, Castañeira, Gastán, Castanyer, Castañé, Castany, Castanys, Castañiza, Castañondo, Castañón.

Etimología

Del latín *castanea*, y a su vez del griego *kastanon*, «árbol productor de la castaña». Respecto a sus variantes, **Castany**, «color de castaña»; **Castañondo**, con el sufijo *–ondo* («junto a»), «junto al castañar»; y **Castañón**, forma apocopada de Castañondo.

Orígenes

Su origen es vasco, concretamente del concejo de San Pedro de Galdames (Vizcaya).

Armas

Escudo de oro con un castaño, de cuyas ramas sale un brazo con una cadena de la que cuelga un caldero de sable. Bordura de plata y ocho armiños de sable.

Antecesores destacados

Francisco Javier Castaños, duque de Bailén. Militar, nacido en Madrid en 1756. Fernando VII le confió las tropas con el fin de combatir contra Napoleón. Tras la muerte del rey siempre se inclinó por la causa de Isabel II frente al pretendiente Carlos María Isidro. Murió en Madrid en 1852.

Castillo

Apellidos relacionados: Castellano, Castellanos, Castel, Castelao, del Castillo, Castelar, Castillejo, Castillejos, Castellote, Castellón, Castellana, Castiella, Castedo, Castell, Catllar, Castellvell, Gaztelu.

C

Etimología

Del latín *castellum* («fuerte», «reducto»), diminutivo de *castrum* («campamento fortificado»). Respecto a sus variantes, **Castedo**, del sardo *casteddu mannu*, «castillo grande»; **Gaztelu**, del vasco *gaztelu* («castillo»), adaptación al euskera del latín *castrum*; **Castellvell**, del latín *castellum vetulum*, «castillo viejo»; y **Catllar**, del latín tardío *castellare*, «lugar defendido por un castillo». Véase también **Castro**.

Orígenes

La primera casa solar de este linaje se encuentra en Santander. En diversas ocasiones, este apellido tuvo probanza de nobleza en las órdenes militares de Santiago, Calatrava, Alcántara y Montesa, así como en la Real de Carlos III y la Hospitalaria de San Juan de Jerusalén. Los descendientes se extendieron por toda la península Ibérica y Canarias, así como por América Central y Filipinas.

Armas

En campo de gules, un castillo de plata, surmontado de una flor de lis del mismo metal y, tapando la puerta del castillo, un árbol de sinople y dos perros de plata atados a su tronco con dos cadenas.

Antecesores destacados

ALONSO DEL CASTILLO. Morisco granadino, nacido hacia el año 1520. Estudió medicina y fue traductor de documentos árabes. Sirvió durante muchos años a la administración del reino de Granada y fue nombrado intérprete oficial de Felipe II. Murió hacia 1596.

Castro

APELLIDOS RELACIONADOS: de Castro, Castros, Castrejón, Castejón, Castrillón, Castroviejo, Castresana, Castrejana.

C

Etimología

Del latín *castrum*, «lugar fortificado», especialmente empleado en Galicia y Asturias como nombre común o como apelativo. La forma árabe *al-qasr*, también tomada del latín *castrum*, ha dado sus formas propias (véase **Alcocer**). Respecto a sus variantes, **Castresana** y **Castrejana**, tal vez híbridos vascolatinos con el sufijo locativo *–ana*. Véase también **Castillo**.

Orígenes

Apellido castellano muy antiguo, cuya casa solar se considera una de las primeras de la península Ibérica. Su primer ancestro fue don Nuño de Belchides, caballero de Colonia, que llegó a España hacia el año 884. Se casó con la hija del conde Diego Pircelos en la villa de Castrogeriz o Castro Xeriz (Burgos), cuyo apellido tomó el señor. Luego se extendió por Castilla, Galicia (Monforte de Lemos), Portugal y Cataluña.

En todas las acciones memorables de la Edad Media figura un Castro, y los puestos de mayor dignidad fueron ocupados por un poseedor de este apellido. De una rama de este linaje se cree que procedía Rodrigo Díaz de Vivar, el Cid Campeador.

Armas

En campo de plata, seis roeles de azur, puestos de dos en dos.

Antecesores destacados

Fernando Sanchis de Castro. Hijo ilegítimo de Jaime I el Conquistador y de Blanca de Antillón. Heredó la baronía de Castro, en Huesca, y el señorío de Estadilla.

Rosalía de Castro. Escritora española en lengua castellana y gallega, nacida en Santiago de Compostela en 1837, hija natural de una noble y de un joven que se ordenó sacerdote. Toda su vida estuvo marcada por penalidades y vicisitudes, sobre todo la época en que murió su madre y uno de sus seis hijos. Falleció en Padrón en 1885.

Chaves

Apellidos relacionados: Chávez, Echabe, Echebeste.

C

Etimología

Quizá un derivado del latín *clave*, «llave», o de la ciudad portuguesa de Chaves, a partir del nombre latino *Aquas Flavias*, «en las aguas (termales) de Flavio (Vespasiano)», primer emperador romano de extracción plebeya. Respecto a sus variantes, **Echabe** y **Echebeste** pueden ser variantes vascas, y **Chávez** cambió su grafía originaria en América al considerarse patronímico.

Orígenes

Apellido extremeño, oriundo de Portugal, con casa en Trujillo (Cáceres) y posteriormente en Ciudad Rodrigo (Salamanca). Luego pasó a Sudamérica, donde se estableció otra casa solar en Perú. Su nobleza fue probada en las órdenes militares de Santiago, Alcántara, Calatrava, Real de Carlos III y San Juan de Jerusalén. Numerosos descen-

dientes alcanzaron cargos de renombre y recibieron condecoraciones: Juan Ignacio de Chaves, marqués de Bermudo; José de Chaves, conde de Casa Chaves; Mariano del Amparo de Chaves y Villarroel, duque de Noblejas...

Armas

En campo de gules, cinco llaves de oro puestas en sotuer y con los ojos hacia abajo. Bordura de gules cargada de aspas de oro, alternando con las quinas de Portugal.

Antecesores destacados

Francisco de Chaves. Conquistador español del s. XVI, nacido en Trujillo (Cáceres). Participó en las conquistas de México, Guatemala y Perú, y también en la conspiración que acabó con la vida de Francisco Pizarro en 1541.

Clemente

Apellidos relacionados: Sanclemente, Climente, Clement, Climent, Sanclement, Clemenzo.

Etimología

Nombre de pila usado como apellido, del latín *clemens, clementis*, «dulce», «benigno»; quizá proceda a su vez del griego *clino*, «inclinar», y por tanto, «que se deja doblar», «indulgente». Erróneamente, la etimología popular ha considerado el origen *claritate mentis*, «por la claridad de la mente», pero *mens* es un sufijo con el sentido de «vehemente».

Orígenes

Apellido procedente de Aragón, que se extendió muy rápidamente a otras tierras, como Cataluña, Valencia, Castilla y Andalucía. Diversos descendientes formaron parte de las tropas del rey Jaime I e intervinieron en la reconquista de Valencia. Uno de estos caballeros fue premiado por su valentía con la villa de Altura (Castellón), y otro, con la villa de Canals, en Játiva.

Armas

En campo de gules, un chevrón de oro acompañado en lo alto de dos estrellas del mismo metal, y en lo bajo, de una pera, también de oro.

Antecesores destacados

Lino de Clemente y Palacios. Patriota venezolano (1767-1834), prócer de la independencia sudamericana. Tomó parte de la revolución venezolana de 1810 y fue uno de los signatarios del acta de independencia del país.

Conde

APELLIDOS RELACIONADOS: Condado, Condesa, Condal, Condes, Comte, Compte.

Etimología

Del latín *comes*, *comitis*, «compañero», aplicado a los nobles que residían en el palacio imperial, y que luego se convirtió en un título de la jerarquía feudal. Respecto a sus variantes, la forma **Compte** presenta una *p* por influencia del latín *computum*, «cuenta».

Orígenes

La fortaleza de Meydumio constituyó la casa solariega de Ascondeos, Condeos o Condes, enlazados con los Arias, de la casa de los reyes suevos de Galicia. Los Conde fueron extendiéndose por Madrid y Talavera de la Reina. José Conde y Carrillo de Albornoz, conde de Montemar, ingresó en la orden militar de Santiago en 1717.

Armas

En campo de plata, una banda de gules engolada en cabezas de dragones de sinople.

Antecesores destacados

CARMEN CONDE. Escritora española, nacida en Cartagena en 1907. Desarrolló una intensa actividad periodística y publicó libros de poemas como *Brocal* y *Mujer sin edén*.

Contreras

APELLIDOS RELACIONADOS: Contrera.

Etimología

Topónimo correspondiente a una villa de la provincia de Burgos, pero también se ha considerado una designación relativa, un lugar nombrado por contraposición a otro («en contra», es decir, «enfrente»).

Orígenes

Apellido castellano con origen en la villa del mismo nombre, en Salas de los Infantes (Burgos), y que se extendió con rapidez por toda la península Ibérica.

Armas

En campo de plata, tres palos de azur; bordura de gules, con ocho aspas de oro.

Antecesores destacados

RODRIGO CONTRERAS. Conquistador y gobernador español, nacido en Segovia en 1502. En 1535 heredó de su suegro, Pedrarías Dávila, el gobierno de Nicaragua. Durante el mismo mantuvo numerosas disputas con los colonos españoles, quienes lo acusaron ante la Inquisición de enriquecerse de manera fraudulenta. Murió en Lima (Perú) en 1558.

C

Cortés

APELLIDOS RELACIONADOS: Cortez, Cortijo, Cort, Corts, Lacort, Cortada, Cortich, Cortils.

Etimología

Derivado del latín *cohors, cohortis* («recinto»), que más tarde se convirtió en *hortus* («corral», «establo»), y luego, por extensión, se aplicó a la finca misma, a sus posesiones y a un dominio señorial, hasta acabar refiriéndose al lugar donde reside el soberano. Entonces, el séquito, los cortesanos, serán gente educada, cortés, aplicado a las maneras de un espacio tan elitista, de donde procede el sentido de «persona atenta y urbana». Respecto a sus variantes, **Cortijo** parece la forma primitiva de *cohorticula*, diminutivo de *cohors, cohortis*. La –j– del sufijo indica probablemente que se trata de una palabra nacida en Castilla la Nueva; y **Cortils**, del bajo latín *cortiles*, «corrales».

Orígenes

Apellido aragonés, muy extendido por España, por ejemplo en Medellín (Cáceres).

También salió una rama hacia América. Numerosos descendientes ingresaron en las órdenes militares de Alcántara, Montesa, Calatrava, Santiago y Carlos III. Algunos de ellos poseen a la vez títulos nobiliarios: Hernán Cortes fue el primer marqués de Oaxaca, título concedido por Carlos I.

Armas

Escudo cuartelado: 1º y 4º, en campo de oro, tres corazones de gules bien ordenados; y 2º y 3º, en campo de gules, un trozo de muro de plata.

C

Antecesores destacados

HERNÁN CORTÉS. Conquistador español, nacido en Medellín (Cáceres) en 1485. Procedía de una familia de linaje noble, aunque no muy rica. En 1511 embarcó rumbo a Cuba, donde desempeñó diversos cargos. Tras desposar a la cuñada del gobernador, éste lo puso al mando de una expedición de conquista del imperio azteca. En 1522, Carlos V lo nombró gobernador y capitán general de Nueva España, pero perdió sus atribuciones años después debido a diversas acusaciones, algunas de ellas no probadas. Regresó a España en 1541 y murió en Castilleja de la Cuesta en 1547.

MARTÍN CORTÉS. Cosmógrafo español, nacido en Bujaraloz (Zaragoza) en 1582. Muy joven se instaló en Cádiz, donde llegó a ser un experto en la enseñanza de la geografía y la cosmografía.

Costa

APELLIDOS RELACIONADOS: Cuesta, Cuestas, Acosta, Lacuesta, Sacosta.

Etimología

Véase **Acosta**.

Orígenes

Su casa solar se encontraba en Jaca (Huesca). La nobleza del apellido quedó probada en la orden militar de Santiago.

Armas

Escudo cuartelado: 1º y 4º, en campo de gules, tres bandas de plata; y 2º y 3º, en campo de oro, un grifo pardo rampante.

Antecesores destacados

JOAQUÍN COSTA. Jurisconsulto, político e historiador español, nacido en Monzón (Huesca) en 1846. Rechazado por la universidad, tuvo que ganarse la vida como oficial letrado de Hacienda. Republicano activo y militante, desengañado por la farsa de la vida parlamentaria, se retiró a Graus en 1904, donde continuó su actividad intelectual hasta su muerte, en 1911.

MIQUEL COSTA I LLOBERA. Poeta en lengua castellana y catalana, nacido en Pollensa (Mallorca) en 1854. Licenciado en abogacía, abandonó pronto esta profesión para dedicarse al sacerdocio, que compaginó con su actividad literaria. Se le considera uno de los máximos representantes de la escuela literaria mallorquina. Murió en Palma de Mallorca en 1922.

Crespo

APELLIDOS RELACIONADOS: Crespi, Crespillo, Crespos, Crespí.

Etimología

Del latín *crespus*, «el cabello que naturalmente forma rizos y sortijillas», apodo de personas con pelo no lacio. Acabó aplicándose a la gente aldeana, por su melena descuidada.

Orígenes

Apellido castellano, con casa solariega en el valle de Gurriezo, en las montañas de Burgos. Sus descendientes, que probaron nobleza en las órdenes de Santiago y Carlos III, extendieron el apellido por toda la península Ibérica.

Armas

En campo de oro, una torre de piedra y, en su homenaje, un hombre armado con un cuchillo en su mano diestra.

Antecesores destacados

JOAQUÍN CRESPO. Militar y político venezolano, nacido en Parapara, Guárico, en 1841. A los 17 años ya se incorporó a los movimientos armados que iniciaron la revolución federal. Alcanzó el grado de general y fue nombrado presidente de la república para el bienio de 1884 a 1886. Se alzó en armas en 1892 y, por segunda vez, fue presidente de 1893 a 1898, cuando una revuelta puso fin a su vida.

C

Cruz

APELLIDOS RELACIONADOS: de la Cruz, Lacruz, Cruces, Dacruz, Cruzado, Santa Cruz, Santacruz, Creus, Crous, Lacreu, Santacreu, Cruzat, Crusat, Cruzada, Creueres, Crehueras, Gurutze, Gurruchaga, Guruceta.

Etimología

Del latín *crux, crucis*, puede haberse originado a partir de una de las múltiples referencias a la cruz, aunque también en referencia a un cruce de caminos. Respecto a sus variantes, **Crous**, plural del arcaico *crou*, del latín *cruce*; **Cruzat**, **Crusat** y **Cruzada**, préstamos del provenzal *crozat*, «cruzado»; **Creueres** y **Crehueras**, plurales de *creuera*, «objeto en forma de cruz»; **Gurutze**, del vasco *gurutze*, «cruz», y **Gurruchaga** y **Guruceta**, con sufijos locativos, «sitio de la cruz».

Orígenes

Apellido castellano, muy extendido por la península Ibérica.

Armas

En campo de oro, una cruz llana de gules, y en punta, una cabeza de sierpe de sinople; bordura de gules, con ocho estrellas de oro.

Antecesores destacados

RAMÓN DE LA CRUZ. Dramaturgo madrileño (1731-1794). Aunque educado en el culto a la estética neoclásica, pronto se inclinó por lo castizo y cultivó un género profundamente popular, el sainete.

SEBASTIÁN DE LA CRUZ. Arquitecto peruano del s. XVIII, uno de los primeros artistas indígenas americanos que se conocen. En Potosí realizó el campanario del templo de los jesuitas y comenzó la construcción de la iglesia de San Francisco.

Cuesta

C

APELLIDOS RELACIONADOS: Costa, Acosta, Cuestas, Lacuesta, Sacosta.

Etimología

Véase **Acosta**.

Orígenes

Sus orígenes son diversos: existen casas solariegas en Santander, en las montañas de León y en ambas Castillas. Una rama pasó a Andalucía y otras llegaron a México. Numerosos caballeros con este apellido participaron en la Reconquista y probaron su nobleza en las órdenes de Calatrava y de Carlos III, y en la Real Audiencia de Oviedo.

Armas

En campo de azur, cuatro fajas de oro, cargadas cada una de ellas de dos aspas de gules, una en cada extremo de la faja; bordura de plata, con ocho roeles de azur.

Antecesores destacados

JUAN DE LA CUESTA. Impresor y tipógrafo español, nacido en la segunda mitad del s. XVI. Establecido primero en Segovia, se trasladó a Madrid en 1599, y seis años más tarde imprimió la primera edición del *Quijote*, así como *Persiles y Segismunda*.

Delgado

APELLIDOS RELACIONADOS: Delicado, Delicat, Delgadillo.

Etimología

Del latín *delicatus*, «suave», «tierno», que se vuelve «delgado» en el lenguaje popular con el sentido de «de pocas carnes» y usado como apelativo de una persona flaca.

Orígenes

D Existe certificación de que varios caballeros con este apellido lucharon contra los árabes, aunque resulta probable que el apellido, oriundo de las montañas de Santander,

proceda de un mote o apodo. Se tiene constancia de que dos caballeros, Ruy Delgado y Cosme Delgado, recibieron recompensas y privilegios por parte de los reyes Alfonso VII y Sancho II. Algunos ramas del apellido llegaron a tierras americanas.

Armas

En campo de gules, una letra de oro con unas flores de plata; bordura de plata y, en letras de azur, la salutación angélica «Ave Maria gratia plena».

Antecesores destacados

JOSÉ MATÍAS DELGADO. Prócer de la independencia centroamericana, nacido en San Salvador en 1768. Luchó contra las autoridades españoles y se opuso a la anexión de las provincias centroamericanas al imperio mexicano de Iturbide. En 1823 fue elegido presidente de la asamblea nacional constitucional de las Provincias Unidas de Centroamérica.

RAFAEL DELGADO. Escritor mexicano (1853-1914), que publicó poesía, crítica literaria y teatro, aunque destacó fundamentalmente como novelista, caracterizado por un romanticismo costumbrista.

Díaz

APELLIDOS RELACIONADOS: Diego, de Diego, Díez, Diéguez, Dias, Dies, Jaimes, Jaume, Santjaume, Yagüe, Santiago, de Santiago.

Etimología

Patronímico de Diego, abreviación de Santiago como Diago, derivado a su vez del nombre del patriarca bíblico *Ya'aqob* o Jacob. Respecto a sus variantes, **Yagüe** procede del vocativo *Sancte Iacobe* («¡oh, san Jacobo!»), grito de guerra cristiano en la Reconquista, contraído en *Sancte Yagüe*, y éste a su vez contraído en *Santi Yagüe* y, por tanto, en **Santiago**; **Jaimes** y **Jaume**, derivados de *Jacobe* y *Jácome*, con la *b* trocada en la bilabial nasal *m*.

D

Orígenes

Apellido patronímico, por lo que existen numerosas familias sin relación alguna entre sí. Se cree que Alfonso Díaz, uno de los trescientos caballeros que reconquistaron Baeza, fundó casa solariega en el Señorío de Molina. Muchas de sus ramas probaron nobleza en distintas órdenes militares, en las Reales Chancillerías de Valladolid y Granada y en la Real Audiencia de Oviedo.

Armas

En campo de plata, un león rampante de gules, llevando en su garra diestra un bastón de oro perfilado de sable. Bordura de gules con cinco flores de lis de oro.

Antecesores destacados

MIGUEL DÍAZ. Navegante y colonizador español, nacido en Aragón en la segunda mitad del s. XV. Intervino en el segundo viaje de Cristóbal Colón, descubrió yacimientos auríferos en La Española y contribuyó a la fundación de la ciudad de Nueva Isabela (Santo Domingo).

PORFIRIO DÍAZ. Militar y político mexicano (1830-1915). Sus actividades estuvieron ligadas a la causa liberal y destacó durante la guerra contra la intervención francesa, ya que tomó la ciudad de Puebla y, posteriormente, la capital de la nación. Accedió a la presidencia en 1877.

Díez

APELLIDOS RELACIONADOS: Diego, de Diego, Díaz, Diéguez, Dias, Dies, Jaimes, Jaume, Santjaume, Yagüe, Santiago, de Santiago.

Etimología

Véase **Díaz**.

Orígenes

Como en el caso de Díaz, es un apellido patronímico derivado de Día o Diego, y muy extendido por toda la península Ibérica. Muchas de sus ramas probaron su nobleza en órdenes militares y en las Reales Chancillerías de Valladolid y Granada.

Armas

En campo de gules, una espada desnuda de oro, puesta en palo; bordura cosida de gules, con ocho aspas de oro.

Antecesores destacados

MARIANO DÍEZ. Prócer de la independencia venezolana (1796-1867). Tomó las armas en defensa de la república en 1811 y después emigró a Santo Domingo, donde participó en la fracasada revolución fomentada en 1821 para separar este territorio de España.

MARTÍN DÍEZ DE LIATZASOLO. Escultor español, nacido en Barcelona en 1583, el más importante de la época renacentista en Cataluña. Documentado desde 1527, realizó una obra extensa y variada.

Doménech

APELLIDOS RELACIONADOS: Domingo, Domingos, Domínguez, Santo Domingo, Mingo, Mínguez, Minguillón, Minguela, Mingote, Mingorance, Domènec, Sandiumenge, Dumenjó, Minguet, Minguella.

Etimología

Grafia antigua de Domènec, variante catalana de Domingo. Véase **Domínguez**.

Orígenes

D

Su casa solar se encuentra en Vic (Barcelona), de donde pasó a Valencia al acompañar un Doménech al rey Jaime I en la reconquista de este reino. Vicente Arlés y Doménech fue nombrado caballero de la orden de Santiago. Posteriormente, diversos descendientes ostentaron el título de «ciudadano honrado».

Armas

Escudo terciado en faja: 1ª, en campo de oro, una rosa de gules acompañada de dos estrellas de azur en faja; 2ª, en campo de gules, un ceñidor ondeado de oro; y 3ª, en campo de plata, un brazo de carnación moviente del flanco siniestro, empuñando un arbusto de sinople y adiestrado de un creciente de azur.

Antecesores destacados

LLUÍS DOMÉNECH I MONTANER. Arquitecto catalán (Barcelona 1850-1923), uno de los grandes representantes de la corriente modernista. Fue profesor y director de la escuela de arquitectura de Barcelona, y entre sus obras se cuentan el Palau de la Música Catalana y el Hospital de Sant Pau. Militó activamente en el movimiento catalanista y fue diputado a Cortes por Barcelona (1901-1905).

Domínguez

Etimología

Patronímico de Domingo, nombre de pila usado como apellido, del latín *dominus*, «bendito por el Señor», del cual *dies dominicus*, «el día del Señor», alusivo al día consagrado por los cristianos a Dios.

Orígenes

Apellido bastante común en España y América. Su casa solar se encuentra en Ribadeo, en la provincia de Lugo. En el convento de las religiosas de Santa Clara, en Pontevedra, exis-

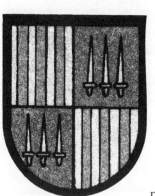

te un testamento otorgado por D.ª María Domínguez en el que se constata la nobleza del apellido. Varios descendientes probaron nobleza en la real orden de Carlos III, en las Reales Chancillerías de Valladolid y Granada y en la Real Compañía de Guardias Marinas.

Armas

Escudo cuartelado: 1° y 4°, en campo de plata, tres palos de gules; y 2° y 3°, en campo de azur, tres espadas de plata puntas arriba con la guarnición de oro.

Antecesores destacados

TOMÁS DOMÍNGUEZ ROMERA, CONDE DE RODEZNO. Político español, nacido en Carmona en 1853. Debido a su participación en la última guerra carlista se vio forzado a exiliarse. A su regreso, casó con la condesa de Rodezno y colaboró en la reorganización del carlismo. Presidió la junta regional jaimista de Castilla la Nueva y Extremadura.
HERNANDO DOMÍNGUEZ CAMARGO. Poeta colombiano (1601-1656) y autor de la escuela gongorina americana. Escribió un brillante *Poema heroico de san Ignacio de Loyola* que, aunque incompleto, alcanzó una gran difusión.

Duarte

Etimología

Forma portuguesa de Eduardo, del nombre de pila germánico formado por *ead* («gloria», «riqueza») y *ward* («guardián»). También se ha referido un origen vasco, como aglutinación de *d'Huarte*, posiblemente con el sentido «entre aguas», por *ur* («agua», «río») y *arte* («entre»).

Orígenes

Apellido andaluz, pero cuyo origen se sitúa en Portugal, gracias al rey D. Duarte; luego, el apellido pasó al antiguo reino de Aragón, donde ostentó títulos nobiliarios. Uno de sus descendientes pasó a Asturias, y de ahí, a América, concretamente a México y Brasil.

Armas

Escudo cuartelado: 1º y 4º, en campo de gules, un grifo de oro; y 2º y 3º, jaquelado de plata y gules. Sobre el todo, un escudete de plata con una rosa de gules.

Antecesores destacados

María Eva Duarte. Esposa del político argentino Perón (1919-1952), hija de emigrantes españoles. En 1935 marchó a Buenos Aires, donde trabajó como actriz y alcanzó gran popularidad. En 1945 casó con el coronel Juan Domingo Perón, que acababa de dimitir como vicepresidente de la república. Al ser encarcelado su esposo, Eva Duarte encabezó una gran campaña de agitación y propaganda entre los medios laborales, que dio lugar a numerosas manifestaciones obreras. Gracias a este movimiento, su esposo fue liberado y elegido presidente. Colaboradora de Perón en su gobierno, dirigió la secretaría de Trabajo y desarrolló un amplio programa social y filantrópico al frente de la Fundación de Ayuda Social. Tras su muerte, el régimen peronista entró en una grave crisis.

Durán

APELLIDOS RELACIONADOS: Durana, Durano, Durández, Durandes, Duran, Durà, Durant, Durandell, Durany, Duró.

Etimología

Derivado del germánico *Thorhramm*, «el cuervo de Thor», de *Thor* (hijo de Odín, dios de la guerra) y *hramm*, «cuervo». Sin embargo, la forma antigua más documentada (principios del s. IX), *Durandus*, señala al gerundio de *durare* («durar», «endurecer»).

D/E

Orígenes

Existen bastantes casas solares por toda la península Ibérica, pero sin relación entre ellas. Se ha establecido que la más antigua es la del castillo de Portela, en Limia (Galicia).

Armas

En campo de gules, un palo de oro, y en punta, ondas de agua de azur y plata; bordura de oro, con ocho cabezas de león de gules.

Antecesores destacados

DIEGO DURÁN. Dominico sevillano (1537-1588), pasó a Nueva España en 1542 y profesó en 1556. Escribió tres obras sobre historia precolombina: *Libro de los dioses y ritos, El calendario* e *Historia de las Indias de Nueva España e Islas de Tierra Firme*.

Elcano

APELLIDOS RELACIONADOS: Elkano.

Etimología

Apellido vasco compuesto por el radical *elge, elke* («manifiesto», «patente») y el sufijo diminutivo *–no*. No es una aglutinación de El Cano. Véase **Cano**.

Orígenes

La leyenda atribuye el apellido a Ecano, primer ministro del rey Acaz o Acad. La casa solar más antigua se estableció en Guetaria, aunque otros la han establecido en Azpeitia. Una rama pasó a Navarra.

Armas

En campo de plata, tres fajas de azur; bordura compo-
nada de ocho piezas: cuatro de oro, con un lobo pasante de sable, y cuatro de gules, con una estrella de oro.

Antecesores destacados

Juan Sebastián Elcano. Navegante español, nacido en
Guetaria, el primero en dar la vuelta al mundo tras alis-
tarse en la empresa de Magallanes como maestre de la nave *Concepción*, una de las cinco que componían la armada. A su regreso en 1522, Carlos V le concedió una pensión de 500 ducados y el escudo de armas con la inscripción «primus circumdedisti me». Posteriormente fallecería en otra expedición a aguas del Pacífico, en 1526.

Encina

APELLIDOS RELACIONADOS: Encinas, Encinar, Encinares, Alzina, Alcina,
Alsina, Alsinet, Alcet, Alzet, Olcina, Olsina.

Etimología

Del latín vulgar *ilicina*, derivado de *(quercus) ilex, ilicis,* «encina». Topónimo frecuen-
te en la península Ibérica por los encinares propios de Segovia, Salamanca, Ávila, Palencia... El adjetivo vulgar *ilicinus*, referido a la madera o al fruto, derivó en la forma antigua *lezina*, y luego *lenzina*, cuya *l*– acabaría considerándose como el artículo.

Orígenes

Apellido castellano, muy extendido por toda la península Ibérica, con primitivas casas solariegas en las montañas de Cantabria.

Armas

En campo de oro, una encina de sinople, frutada de oro, y dos lebreles de sable, manchados de plata, al pie del tronco, encontrados y atados al árbol con traílla de gules. Bordura de gules con ocho aspas de oro.

Antecesores destacados

FRAY PEDRO DE ENCINAS. Poeta español del s. XVI. Se tienen muy pocos datos biográficos, pero se sabe que ingresó en la orden de San Agustín y desempeñó cargos de su orden en Huete, donde tuvo fama de varón piadoso y de buen ingenio. Es autor de *Versos espirituales que tratan de la conversión del pecador* (1596).

Escalera

APELLIDOS RELACIONADOS: Escala, Escalas, Escales, Escalada, Escalante, Escalona.

Etimología

Del latín *scalaria*, «escaleras», plural de *scalare* o *scalarium*, aplicado como topónimo a lugares con escalonamientos naturales o artificiales.

Orígenes

Apellido castellano de muy antiguo linaje, con casa solariega en Barcenillas de Cerezos (Burgos), reconocida como casa de pariente mayor y de cabo de armería, con mayorazgo y enterramiento propio en la iglesia parroquial de San Martín. Linaje de hijosdalgo, con nobleza reconocida en la Real Chancillería de Valladolid.

Armas

En campo de sinople, un castillo de plata, ardiendo, y dos escaleras de oro apoyadas en los muros del castillo, con algunos moros colgados de ellas y otros muertos, al pie de la fortaleza. A la puerta del castillo, dos leones de su color, coronados de oro y atados.

Antecesores destacados

JOSÉ BENITO RUIZ DE LA ESCALERA Y BLABAÑA. Natural de Madrid, gentilhombre del rey, caballerizo de la reina, señor y pariente mayor de la casa de su apellido en Barcenillas de Cerezos. Ingresó en la orden de Santiago en 1686.

Escobar

APELLIDOS RELACIONADOS: Escobedo, Escobés, Escobias, Escovar.

Etimología

Del latín *scopare*, «barrer», referido a diversas poblaciones de las provincias de Murcia, León y Segovia, llamadas de esta manera por la abundancia de retama para la fabricación de escobas.

Orígenes

Apellido originario de las montañas de León, desde donde se extendió por Tierra de Campos y ambas Castillas. En 1879, D. José Escobar obtuvo el título de marqués de Valdeiglesias.

Armas

En campo de plata, cinco escobas de sinople, atadas con una cinta de gules y puestas en sotuer.

Antecesores destacados

PEDRO DE ESCOBAR. Compositor español de finales del s. XV y principios del s. XVI. Fue nombrado maestro de capilla de la catedral de Sevilla en 1507. En el *Cancionero de Palacio* aparecen 18 villancicos suyos, con textos castellanos profanos. En diferentes manuscritos de la época se conservan numerosas obras suyas, religiosas y profanas.

MARINA DE ESCOBAR. Mística española, nacida en Valladolid en 1554 y fallecida en 1633. Fue fundadora de la reforma de Santa Brígida. Se conserva una *Vida maravillosa de la venerable virgen doña Marina de Escobar* (1665), escrita por el padre La Puente, su confesor y director espiritual durante treinta años.

Escudero

APELLIDOS RELACIONADOS: Escuderos, Escudillo, Escudeiro, Eskutari, Ezcutaria, Escudé, Escuder, Escuter.

Etimología

Del latín *scutarius*, «paje que llevaba el escudo del caballero», y éste a su vez de *scutum*, «escudo».

Orígenes

Apellido castellano, de la villa de Espinosa de los Monteros (Burgos), desde donde se extendió a toda la península Ibérica. Se dice que D. Sancho García, señor soberano, supo por su escudero que su madre, D.ª Aba, había preparado un bebedizo para envenenarlo por oponerse a su boda con el rey moro de Córdoba. En recompensa por la información, su señor lo recompensó con la jefatura de la guardia soberana, con privilegios y tierras en Espinosa, donde fundó la casa solar con el apellido «prestado» de su profesión.

Armas

En campo de oro, un león rampante de su color, coronado, lampasado y armado de gules; bordura de azur con ocho estrellas de oro.

Antecesores destacados

FRANCISCO ESCUDERO. Compositor vasco, nacido en San Sebastián en 1913. Estudió en el conservatorio de su ciudad natal y, posteriormente, en Madrid y en París. Director del conservatorio de San Sebastián, fue autor de numerosas obras de música de cámara, del oratorio *Illeta* y de la ópera *Castigo*.

Espinosa

APELLIDOS RELACIONADOS: Espina, Espino, Espín, Espinar, Espinas, Espiniella, Espinedo, Espinardo, Valdespino, Espinal, Espinós, Espinàs, Espinet, Espineiro, Espiña.

Etimología

Derivado del latín *spina*, «púa que tienen algunas plantas», del cual se han originado topónimos, vueltos apodos, como **Espinar**, «lugar poblado de espinas», y **Espinazo**, «eje de cumbres de una cordillera».

Orígenes

Su origen es castellano, de Espinosa de los Monteros (Burgos), pero se extendió por toda la península Ibérica. Probó su nobleza en las órdenes de Santiago, Calatrava, Alcántara y Carlos III.

Armas

En campo de oro, un espino de sinople arrancado y frutado de gules.

Antecesores destacados

GASPAR DE ESPINOSA. Conquistador español, nacido en Medina del Campo hacia 1484. Figuró entre los fundadores de la ciudad de Panamá (1519) y entre los descubridores del golfo de Nicoya. Nombrado oidor de Santo Domingo y Panamá, pasó finalmente a Perú, donde intentó, sin éxito, la reconciliación entre Pizarro y Almagro. Falleció en Cuzco en 1537.

JUAN DE ESPINOSA MEDRANO. Escritor peruano del s. XVII. Apodado El Lunarejo por sus contemporáneos, fue uno de los más ilustres representantes de la literatura barroca en Hispanoamérica. Desde su adolescencia cultivó la música, la poesía y escribió obras teatrales, como *El rapto de Proserpina*. Sus sermones se caracterizan por un brillante conceptismo que cautivó a las minorías ilustradas de la época.

Esteban

Etimología

Nombre de pila usado como apellido, del latín *Stephanus*, y éste a su vez del griego *Stéphanos* («coronado de laurel», «victorioso»), derivado de *stepho* («rodear», «ceñir» «coronar»).

Orígenes

Apellido patronímico, muy extendido por España, con casas solares sin un origen común. Su nobleza quedó probada en las órdenes de Santiago, Montesa y Carlos III.

Armas

Escudo partido: 1°, de oro, con un león rampante de gules; y 2°, de plata, con cuatro fajas de azur.

Antecesores destacados

AGUSTÍN ESTEBAN Y COLLANTES. Político y periodista español, nacido en Carrión de los Condes en 1815. Por su participación en la caída de Espartero (1843) pudo alcanzar altos cargos políticos. Fue secretario particular del marqués de Pidal, entonces ministro de Gobernación, e intervino en la redacción de la constitución de 1845. Posteriormente ministro de Fomento, huyó a Francia tras la revolución de 1854 y se ofreció a la reina Isabel II para trabajar por la restauración de los Borbones, para cuya finalidad fundó el periódico *El Eco de España*. Alfonso XII lo premiaría nombrándolo ministro en Lisboa y presidente del Consejo de Estado.

Estévez

APELLIDOS RELACIONADOS: Esteve, Esteban, Estébanez, Estebarán, Estebaranz, Estevan, Esteves, San Esteban, Santisteban, Estébez, Estefanía, Esteva, Santesteve, Estebanell, Estevanell.

Etimología

Patronímico de Esteban. Véase **Esteban**.

Orígenes

Su origen se encuentra en Quiroga (Galicia), desde donde se extendió por las tierras pertenecientes a la abadía de San Clodio de Rivas de Sil. Otra rama parece situarse en Santabad de Arborea (Navarra), que luego pasó a Aragón, Cataluña y Valencia, en donde el apellido adquirió la fonética del lugar y se transformó en Esteve. Algún descendiente llegó a maestre de la orden de Calatrava y del Consejo de Su Majestad, y Braulio Estévez ejerció como oidor en lo Civil de la Real Audiencia de Valladolid y fue caballero de la orden de Montesa.

Armas

Escudo partido: 1º, en campo de plata, dos lobos de sable, andantes, armados y lampasados de gules y puestos en palo; y 2º, en campo de gules, una banda de oro.

Antecesores destacados

MIGUEL ESTEVE. Pintor español, activo en Valencia en el primer cuarto del s. XVI. Es conocido también como el Maestro del Caballero de Colonia, a causa de la tabla que representa este milagro en el retablo de *La Virgen*.

PEDRO ESTEVE. Médico y naturalista nacido en San Mateo (Castellón) a principios del s. XVI. Estudió en Montpellier y en París, y fue profesor de botánica en la Universidad de Valencia. Tradujo el *Libro de epidemias* de Hipócrates y la *Triaca* de Nicandro. Es autor de un catálogo de plantas medicinales del reino de Valencia.

Estrada

Etimología

Del latín *strata*, «camino empedrado», derivado de *sterno*, «empedrar mediante estratos o capas». El apellido pasó a designar a quien moraba cerca de la vía.

Orígenes

Su origen se sitúa en Estrada, ayuntamiento de Val de San Vicente (Cantabria), pero después se extendió por toda la península Ibérica. Una rama pasó a Asturias y otra a Andalucía, con casa solar en Córdoba, desde donde pasó a Buenos Aires (Argentina), Guatemala y Honduras.

Armas

En campo de azur, tres fajas de oro, cargadas de siete armiños de sable, tres en la del centro y dos en las otras dos fajas.

Antecesores destacados

ALONSO DE ESTRADA. Administrador español de la primera mitad del s. XVI. Se decía de él que era hijo natural de Fernando el Católico. Fue uno de los primeros oficiales reales enviados por Carlos V a Nueva España, en donde ejerció el cargo de gobernador hasta la instalación de la primera audiencia en 1528.

Fabra

Etimología

Del latín *faber*, «obrero», «artesano». La variante **Faura** procede del provenzal *faure*.

Orígenes

Apellido aragonés muy antiguo, ya que constan documentos de la existencia de un solar en Sobrarbe. De ahí pasó a Valencia y Murcia gracias a Guillermo de Fabra, quien ayudó al rey Jaime I en la reconquista de ese reino. Su tío, el dominico fray Miguel de Fabra, fundó en París el colegio dominico y fue confesor del propio rey Jaime I. Numerosos descendientes han ejercido cargos de ayuda de diversos soberanos.

Armas

Escudo mantelado: 1º y 2º, en campo de plata, dos leones rampantes de gules y afrontados; y el mantel de azur, con una torre de oro aclarada de gules, con dos homenajes almenados.

Antecesores destacados

POMPEU FABRA. Filólogo y lingüista catalán, nacido en Barcelona en 1868. Desde 1885, en que escribió *Ensayo de gramática del catalán moderno*, se dedicó al estudio de la lengua catalana. En 1918, el Institut d'Estudis Catalans publicó su *Gramàtica catalana*, considerada desde entonces como la oficial de dicha lengua. En 1939 se vio obligado a exiliarse a Francia, en donde vivió hasta su muerte en 1948.

Fajardo

Etimología

Algunos historiadores hacen derivar este apellido del latín *fascia*, «venda», «faja», mientras que otros sugieren su origen en el latín *fagea*, «madera de haya», como el *fajard* francés.

Orígenes

Originario de Galicia, con casa solar en Santa María de Ortigueira, se extendió a Murcia, Andalucía y Castilla. Pedro Yáñez Gallego fue el primero en ostentar el apellido tras derrotar a un caudillo moro en una lucha de brazos que recibía el nombre de *fajiardo*. Este caballero descendía por línea directa del conde Ramón Romaes, el Bermudo de las crónicas antiguas, hijo natural del rey Fruela I de Asturias. Su hijo, Juan Pérez Fajardo, estuvo al servicio de D. Enrique, hermano del rey Pedro I el Cruel, y al morir

éste en Montiel, pasó a Murcia a tomar posesión de aquel reino en nombre del nuevo rey Enrique II de Castilla. En Puerto Rico existió otra rama del apellido, así como en Portugal.

Armas

En campo de oro, tres rocas de su color, puestas en faja sobre ondas de agua de azur y plata, y sumada cada una de ellas de una rama de ortiga de siete hojas.

Antecesores destacados

FRANCISCO FAJARDO. Conquistador español del s. XVI, hijo de un español y de una guaiquerí, lo que le facilitó grandemente sus empresas. En 1559 fundó un poblado en el valle de San Francisco, que con el tiempo sería la actual Caracas. Ejerció de justicia mayor y en 1561 tuvo que hacer frente a una sublevación de todos los caciques de la provincia, que lo obligaron a huir a la isla Margarita.

LUIS DE FAJARDO. Marino español, nacido en Murcia en el s. XVI. Ascendido en 1604 a capitán general de la armada en el océano. En 1610, en su calidad de adelantado de Murcia, cumplió la orden de expulsar a los moriscos de aquel territorio.

Faria

Etimología

Originario de un lugar de Portugal, ahora despoblado, que evoca a su antiguo propietario godo o suevo, derivado de un nombre compuesto con el elemento *far*, del godo *faran*, «transferir», «viajar».

Orígenes

Apellido muy antiguo, con primitivo solar en la villa portuguesa de Oferina, pues se supone que el linaje procede de Nuño de Faria, personaje romano conocido en el Lacio hace más de veinte siglos. Se tiene como primer descendiente radicado en España a Francisco Felipe de Faria, natural de Lisboa, caballero de la orden de Cristo, venido a Madrid como menino de la emperatriz Isabel, esposa del emperador Carlos I. Los Faria entroncaron con los Vargas y ocuparon posición muy distinguida en la corte de Felipe II.

Armas

En campo de gules, una torre de plata aclarada de sable y acompañada de cinco flores de lis de plata, tres en jefe y dos en punta.

Antecesores destacados

Manoel de Faria y Souza. Historiador y poeta portugués, nacido en Pombeiro en 1590. Pasó a España en 1631, residió cuatro años en Roma y volvió a Madrid, donde se consagró a las letras hasta su muerte en 1649. Es autor de una *Historia de Portugal y de sus colonias de África y de Asia*, y de algunos trabajos sobre Camoes.

Feijoo

Apellidos relacionados: Feijo, Feijido.

Etimología

Variante antigua del gallego *feixoo*, derivado del latín *faeolus*, «alubia», «frijol», por ser Galicia una de las zonas de mayor cultivo tras el descubrimiento de América.

Orígenes

En antiguas crónicas, los Feijoo ya constan como descendientes de sangre real, originado el apellido por Girardo Feijoo, caballero del linaje del rey Witiza. En el nobiliario del conde D. Pedro se cita a Gil Pérez Feijoo, caballero muy ilustre de Galicia.

Otra rama desciende de Gutierre Arias, conde de Celanova, padre de san Rosendo; varios de sus familiares están enterrados en el monasterio de Celanova (Orense), fundado por el propio santo cuando era obispo de Mondoñedo (Lugo).

Una tercera rama tiene su solar en Villar de Condes (Ribadavia, Orense), fortaleza levantada por Francisco Feijoo y de donde desciende Alonso Feijoo y Feijoo, general maestre de campo.

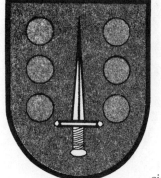

Armas

En campo de gules, una espada de plata, punta arriba, acompañada de seis bezantes de oro, tres a cada lado.

Antecesores destacados

BENITO JERÓNIMO FEIJOO Y MONTENEGRO. Erudito español, nacido en Casdemiro (Asturias) en 1676. Perteneciente a una familia hidalga, ingresó en la orden benedictina de San Julián de Samos y pasó al convento de San Vicente de Oviedo, del que fue abad. Tras muchos años dedicado al estudio, a partir de 1726 inició la publicación de sus dos grandes obras enciclopédicas: el *Teatro crítico universal* y las *Cartas eruditas y curiosas*, que tuvieron una enorme difusión en España y Europa. Sus obras recogen y comentan toda novedad científica y técnica, y mediante el método experimental, se enfrentó a supersticiones y leyendas, convirtiéndose en el precursor del pensamiento ilustrado español. Falleció en Oviedo en 1764.

Fernández

APELLIDOS RELACIONADOS: Fernando, Ferrández, San Fernando, Ferranz, Ferrand, Ferrant, de Ferrán, Ferrando, Ferrándiz, Farrán, Ferran, Ferrandell, Ferrandis, Fernán, Hernández, Hernando, Hernán, Hernáez, Hernaz, Herráez, Herrainz, Herraiz, Herrando, Herrándiz, Herranz, Herrán.

Etimología

Patronímico de Fernando, contracción de *Ferdinando*, procedente del godo *Firthunands*, compuesto por *firthu*, «paz», y *nands*, «audaz», «atrevido», por tanto, «el que se atreve a todo con tal de conservar la paz».

Orígenes

Apellido patronímico, por lo que existen numerosas familias con este apellido que no proceden de una misma casa solar y no tienen vínculo alguno de sangre ni de parentesco. Uno de los solares más antiguos se halla en Asturias, fundado por el caballero

Hernán Fernández, que luchó en la batalla de Guadalete junto al rey D. Rodrigo y, posteriormente, en la de Covadonga, al lado de D. Pelayo. Muchos probaron su nobleza en diferentes épocas. Domingo Fernández de la Mata constituyó el origen del apellido en Chile.

Armas

En campo de plata, un roble de sinople y, delante de su tronco, un león al natural que tiene entre sus garras y tendido a sus pies a un lobo de sable.

Antecesores destacados

JUAN FERNÁNDEZ. Marino español del s. XVI. Como capitán y piloto mayor, recorrió las costas occidentales de América del Sur. En 1573 zarpó de Chile, se separó de la costa y descubrió, a la altura de Valparaíso, tres islas que en la actualidad llevan su nombre. Posteriormente descubrió una isla habitada por indios de raza blanca, que parece identificarse con la isla de Pascua.

Ferrándiz

APELLIDOS RELACIONADOS: Fernández, Fernando, Ferrández, San Fernando, Ferranz, Ferrand, Ferrant, de Ferrán, Ferrando, Farrán, Ferran, Ferrandell, Ferrandis, Fernán, Hernández, Hernando, Hernán, Hernáez, Hernaz, Herráez, Herrainz, Herraiz, Herrando, Herrándiz, Herranz, Herrán.

Etimología

Véase **Fernández**.

Orígenes

Apellido sinónimo de Fernández, con numerosas casas solares en toda la península Ibérica, y que toma esta denominación en puntos de Cataluña, Baleares y Valencia. Se tiene como más antigua la rama de Játiva, y después vinieron las de Gandía y Vinaroz.

Armas

Escudo partido: 1°, de oro, con el jefe de azur, con tres losanges de oro puestos en faja; y 2°, en campo de gules, cuatro fajas de oro.

Antecesores destacados

ARIES FERRÁNDIZ. Señor de Petra y de la Bastida de San Juan en 1342, fue jurado de Mallorca por la clase noble y, en 1344, uno de los caballeros que juraron obediencia al rey Pedro IV de Aragón. Falleció en 1349.

Ferrando

APELLIDOS RELACIONADOS: Fernández, Fernando, Ferrández, San Fernando, Ferranz, Ferrand, Ferrant, de Ferrán, Ferrándiz, Farrán, Ferran, Ferrandell, Ferrandis, Fernán, Hernández, Hernando, Hernán, Hernáez, Hernaz, Herráez, Herrainz, Herraiz, Herrando, Herrándiz, Herranz, Herrán.

Etimología

Véase **Fernández**.

Orígenes

Linaje antiguo que desciende de los reyes de Galicia, con casa solar en el lugar de Castro, cerca de La Coruña.

Armas

En campo de oro, tres palos de gules, cargado cada uno de dos estrellas de oro.

Antecesores destacados

PEDRO FERRANDO. Caballero del s. XIV, nacido en la villa de Cabrera (Barcelona), infanzón y descendiente por línea directa de los reyes de Galicia. Participó en la conquista de Valencia y el rey Alfonso de Castilla lo nombró mariscal de sus ejércitos.

Ferraz

Etimología

Véase **Hierro**. Las variantes con ƒ sin aspirar han pervivido en numerosas zonas de la península Ibérica.

Orígenes

Apellido aragonés, de una antigua y noble familia, con casa solariega en la villa de Benasque (Huesca). Sus caballeros eran ya conocidos en el s. XII. Cinco fueron consejeros de los reyes, entre ellos, Juan Ferraz, preceptor del rey Jaime I de Aragón cuando estuvo recluido en el castillo de Monzón. Una rama pasó a Lleida, donde estableció casa solar, con el nombre de Farraz. El apellido traspasó las fronteras de la península Ibérica con Valentín Ferraz. María de las Mercedes Ferraz y Pereda, hija de Félix Ferraz, gobernador de Veracruz (México) y caballero de la orden de Santiago, obtuvo Real Despacho de Nobleza en el año 1783.

Armas

Escudo partido: 1°, en campo de plata, una banda de azur cargada de tres estrellas de plata; y 2°, en campo de azur, un brazo armado, de acero, moviente del flanco siniestro, que sostiene en la mano un áncora de plata.

Antecesores destacados

VALENTÍN FERRAZ. Caballero nacido en la casa del lugar de Anciles, en Boltaña (Huesca), en 1793. Siguió la carrera de armas y fue hecho prisionero en el segundo sitio de

Zaragoza. Consiguió fugarse y sirvió después en Aragón, Cataluña y Valencia. En 1815 pasó al Perú, contribuyendo a pacificar las provincias de Hamanga, Huancavélica y Tarma. Marchó después a Filipinas, donde también se distinguió. De vuelta a España, ascendió a mariscal de campo. Fue diputado y senador, tres veces ministro de la Guerra y presidente del Consejo de Ministros. Falleció en El Escorial en 1866.

Ferrer

APELLIDOS RELACIONADOS: Hierro, Hierros, Ferrero, Ferreras, Ferreres, Ferreiro, Ferrería, Herrería, Herrerías, Ferreira, Ferreiras, Ferrari, Herrada, Herradas, Herradón, Herrador, Herrera, Herrero, Herreros, Ferraz, Ferrás, Farraz, Ferré, Farré, Ferrís, Ferrusola, Ferret, Ferreter, Ferrater, Ferraté, Ferrerons, Ferrarons, Ferragut.

Etimología

Véanse **Ferraz** y **Hierro**.

Orígenes

Antiguo apellido catalán, oriundo de Inglaterra, que pasó luego a Valencia, Aragón y Mallorca (como Fabrer). Entre los de Valencia se cita a Guillermo Ferrer, veedor general del ejército del rey Jaime I, con el que participó en la conquista de Valencia y de Mallorca. Su hijo, mosén Jaime Ferrer, acompañó al propio rey en el viaje que realizó a Tierra Santa y al infante D. Pedro a tierras de Murcia. Una rama importante pasó a Chile. Diversos descendientes probaron su hidalguía en las órdenes de Calatrava, Montesa, Santiago y San Juan de Jerusalén.

Armas

En campo de gules, tres bandas de oro, cargada cada una de una cotiza de gules.

Antecesores destacados

BARTOLOMÉ FERRER. Navegante español de la primera mitad del s. XVI. En 1542 tomó parte de la expedición a la costa noroeste de California y llegó hasta el cabo Blanco, en el actual estado de Oregón. Esta expedición representó el primer paso para la exploración de la costa occidental de Estados Unidos.

JAUME FERRER. Pintor catalán de mediados del s. XV, conocido como Ferrer II. Fue el más importante retablista leridano de la época. Destacan los retablos de Verdú, Alcover y san Blas.

Flores

APELLIDOS RELACIONADOS: Flor, Flórez, Floren, Florido, Florida, de la Flor, Florentín, Florensa, Florencio, Flors, Florit, Floreaga.

Etimología

Del latín *flos*, *floris*, «flor», del que deriva el nombre de pila, luego usado como apellido. Respecto a sus variantes, **Floreaga**, con el sufijo locativo *–aga*, «lugar con flores».

Orígenes

Sus orígenes son muy antiguos, y al parecer, el linaje tiene por tronco al infante D. Aznar Fruela, hijo natural del rey asturiano Fruela II. Con la Reconquista se extendió por toda la península Ibérica y probó nobleza, en diferentes épocas, en las órdenes militares y en las Reales Chancillerías de Valladolid y Granada. Rodrigo Froilez o Flores participó en la toma de Sevilla al servicio del rey Fernando II, en 1248, extendiendo el apellido por las provincias andaluzas. Algunas ramas pasaron a América.

Armas

En campo de azur, tres flores de lis de oro bien ordenadas.

Antecesores destacados

JUAN DE FLORES. Novelista español del s. XV, que cultivó la novela sentimental, siguiendo las huellas de Boccaccio, a quien trató de imitar con su *Breve tratado de Grimalte y Gradissa* (1495), en donde sabe sostener el interés psicológico de la trama.

JUAN JOSÉ FLORES. Prócer de la independencia hispanoamericana, nacido en Puerto Cabello (Venezuela) en el 1800. Participó activamente en las campañas de Bolívar, hasta ser ascendido a general en jefe del ejército Parece ser que, hacia 1837, gestionó con María Cristina, entonces reina gobernadora de España, transformar Ecuador en una monarquía, a cuyo frente figuraría un miembro de la casa real española.

Franco

APELLIDOS RELACIONADOS: Francos, Francés, Franch, Franquet, Francolí, Francás, Francesc.

Etimología

Del germánico *Frank*, nombre del pueblo bárbaro que en el s. V se adueñó de la Galia, así llamado por su principal arma de guerra (*francho*, «lanza»). Allí constituyeron la clase noble. Antiguamente tuvo también la acepción de «noble», «generoso». El nombre se usó en el sentido de «libre», «exento de tributos», en oposición a las tribus sujetas a los propios francos.

Orígenes

De origen francés, pasó a la península Ibérica en tiempos remotos; los portadores de este apellido adquirieron nobleza y cierta notoriedad al participar en diversas batallas. Una de las principales ramas se estableció en Galicia, y uno de los descendientes de este linaje, Juan Franco de Ribadeo, probó su hidalguía en la Real Chancillería de Valladolid en 1544. El apellido pasó luego a Canarias, Cuba y Colombia.

Armas

En campo de gules, una cruz floreteada de plata, acompañada de cuatro flores de lis de oro, apuntadas al centro.

Antecesores destacados

LUIS FRANCO Y LÓPEZ, BARÓN DE MORA. Jurisconsulto y político, nacido en Zaragoza en 1817. Especialista en derecho aragonés, fue miembro de la Comisión de Códigos. Su obra más importante es *Instituciones de derecho civil aragonés*. Falleció en 1896.

Frutos

APELLIDOS RELACIONADOS: Fructuoso, Sanfrutos, Fruitós.

Etimología

Del latín *fructus*, «fruto», en el sentido de «fructífero», «provechoso».

Orígenes

Apellido de origen gallego, extendido por la península Ibérica. San Frutos, patrón de Segovia, vivió entre el 642 y el 715.

Armas

En campo de gules, una cruz de oro con las puntas vueltas, acompañada en sus huecos de cuatro veneras de plata; bordura de oro.

Antecesores destacados

FRANCISCO FRUTOS VALIENTE. Prelado español, nacido en Murcia en 1883. Doctor en sagrada teología, en 1908 obtuvo una canonjía en la catedral primada de Toledo. Fue director del Colegio de Doncellas Nobles y miembro de la Universidad Pontificia de Toledo. Tomó posesión de la silla episcopal de Jaca en 1921.

Fuente

APELLIDOS RELACIONADOS: Fuentes, Fonseca, Fonfría, Fonte, Fontes, Fontán, Fontelos, Fontela, Fons, Font, La Font, Safont, Fontseré, Fontanals, Fontanet, Fontanillas, Fontcuberta, Fontbona, Fontana, de la Fuente, la Fuente, Lafuente, Fuenmayor, Fuensanta, Cifuentes.

Etimología

Del latín *fons*, *fontis*, «fuente», «manantial que brota de la tierra». Las fuentes han tenido gran importancia en la fundación de pueblos y centros de riqueza, por lo que está presente en numerosos topónimos. Respecto a sus variantes, **Fontán**, del latín *fontanus*, «relativo a la fuente»; **Fontanet**, del latín *fontanetum*, «lugar abundante en fuentes»; **Fonseca**, del latín *fonte sicca*, «fuente seca»; y **Cifuentes**, «cien fuentes».

Orígenes

Existen diversos lugares con esta denominación, en donde se fundaron casas solares. Una de las más antiguas es la nombrada por Nuño García, señor de Fuente, en Burgo de Osma (Soria). Numerosos descendientes fueron caballeros de la orden de Carlos III.

Armas

En campo de oro tres encinas de sinople, terrazadas de lo mismo, y empinado al tronco de la encina primera, un lobo de sable.

Antecesores destacados

VICENTE DE LA FUENTE. Historiador español (Calatayud 1817-Madrid 1889). Estudió teología y derecho, fue catedrático de las universidades de Salamanca y de Madrid, y rector de esta última. De vida ascética y de un catolicismo militante, fue uno de los fundadores de las Conferencias de San Vicente de Paúl en España. De su obra histórica destacan *Historia eclesiástica de España* e *Historia de las sociedades secretas antiguas y modernas en España*.

Fuentes

APELLIDOS RELACIONADOS: Fuente, Fonseca, Fonfría, Fonte, Fontes, Fontán, Fontelos, Fontela, Fons, Font, La Font, Safont, Fontseré, Fontanals, Fontanet, Fontanillas, Fontcuberta, Fontbona, Fontana, de la Fuente, la Fuente, Lafuente, Fuenmayor, Fuensanta, Cifuentes.

Etimología

Véase **Fuente**.

Orígenes

No existe un origen común de este apellido, sino varios, oriundos con la palabra «Fuentes», tomada del lugar de nacimiento de ríos, manantiales... Por tanto, encontramos casas solares en Andalucía, Aragón, Asturias, Castilla, León, País Vasco y Valencia, sin vínculos de sangre entre ellos. El más antiguo parece ser el de Ciempozuelos (Madrid), hacia la Edad Media, tomado de las múltiples fuentes existentes en ese lugar. Dicha casa solar fue fundada por Andrés de Fuentes, y entre sus descendientes se cita a Andrés de Fuentes «el Magnífico», juez de aguas en Elche, en 1593, que dictaba justicia en pleitos de regadío.

Armas

En campo de azur, cinco flores de lis de oro puestas en sotuer; bordura de plata con ocho calderas de sable.

Antecesores destacados

PASCUAL FUENTES. Compositor valenciano del s. XVIII. Fue maestro de capilla de la catedral de Valencia, en la que se conservan sus composiciones: unas doscientas obras corales, algunas de ellas con acompañamiento de orquesta.

CARLOS FUENTES. Escritor mexicano, nacido en 1928. Ha escrito relatos fantásticos y novelas (*Cambio de piel, Zona sagrada*) en los que ha realizado una síntesis entre una técnica narrativa vanguardista y una crítica de la vida social de su país.

Galán

APELLIDOS RELACIONADOS: Gala, Galante, Galant, Galai, Regalado.

Etimología

Préstamo del francés *galant*, derivado de *gala*, «placer», «diversión», y éste, a su vez, quizá derivado del germánico *wale*, «riqueza». Posteriormente, durante los s. XVI-XVII, el significado derivó a «enamorado», «galante». Respecto a sus variantes, **Regalado**, de *regalo*, «don», «dádiva», «deleitoso».

Orígenes

Su origen es aragonés, pero desde sus inicios se expandió por toda la península Ibérica.

Armas

En campo de plata, tres bandas de azur; partido de gules con un castillo de oro.

Antecesores destacados

José María Gabriel y Galán. Poeta español, nacido en Frades de la Sierra (Salamanca) en 1870. Hijo de labradores, Unamuno y Pardo Bazán, entre otros, se interesaron por la obra de este poeta campesino, que en versos claros y sencillos exaltaba las virtudes tradicionales del hogar y de la familia y los goces de la vida rústica. En 1902 publicó *Castellanas*, volumen al que pertenece su poema más famoso, *El ama*. Falleció en 1905.

Gallardo

Apellidos relacionados: Galiardo, Gallard, Gallart, Gallarda, Guallart, Gallar.

Etimología

Del bajo latino *gallens*, «bien plantado», «altivo», aunque también se apunta su origen del francés *gallart* o el occitano *galhart*, derivados del antiguo britónico *gualart*, «dominador».

Orígenes

Parece un derivado de Gallart, apellido catalán de Lleida, que tomó la denominación «Gallardo» al pasar a Castilla. Posteriormente, diversas ramas pasaron a México y Chile. Se sabe que Felipe II extendió una real cédula en la que aparece el nombre del capitán Francisco Pedro Gallardo, de Vera (Almería), por la cual se le premia con un título de nobleza.

Armas

En campo de oro, una banda de gules engolada en cabezas de dragones de sinople y acompañada de dos gallos de su color, uno arriba y otro abajo.

Antecesores destacados

BARTOLOMÉ JOSÉ GALLARDO. Erudito, bibliófilo y periodista español, nacido en 1776 y fallecido en 1852. Durante la guerra de la Independencia tomó parte activa, insurreccionando pueblos de Extremadura y, después, como secretario del conde de Montijo. Con los abundantes materiales que dejó se formaron los cuatro volúmenes del *Ensayo de una biblioteca de libros raros y curiosos* (1869-1889).

Gallego

APELLIDOS RELACIONADOS: Gallegos, Gallec.

Etimología

Del latín *gallaecus*, gentilicio referido a los gallegos.

Orígenes

Apellido aragonés, con casa solar en Murillo de Gállego (Egea de los Caballeros, Zaragoza).

Armas

Escudo partido: 1°, en campo de gules, un castillo de oro; y 2°, en campo de plata, un león de gules.

Antecesores destacados

FERNANDO GALLEGO. Pintor español, de actividad documentada entre 1468 y 1507. Su taller radicó en Salamanca, donde se conservan importantes obras, como el *Tríptico de la Virgen, san Andrés y san Cristóbal.* Su excelente oficio se caracteriza por la originalidad en la invención y por sus dotes expresivas, con una intensidad dramática sin parangón en la pintura gótica española.

Gálvez

APELLIDOS RELACIONADOS: Galve, Galvo, Galbes, Galbez, Gonzalo, González, Gonzálvez, Gozálbez, Gozalo, Gonzalvo, Gonçal.

Etimología

Patronímico del nombre árabe *Galve* o *Galvo*, o contracción de Gonzálvez, patronímico de Gonzalvo o Gonzalo (véase **González**). También se ha apuntado un origen protovasco, compuesto por *gal* («altura prominente»), *be* («abajo») y el sufijo de ampliación –z, es decir, «parte baja de una elevación del terreno».

Orígenes

Apellido vasco, oriundo de Guernica (Vizcaya), que se extendió por la península Ibérica, fundando casa solares en Aragón, Cataluña y Andalucía. Una rama pasó a América.

Armas

En campo de plata, un árbol de sinople y dos lobos de sable atravesados a su tronco y cebados de sendos corderos.

Antecesores destacados

JOSÉ DE GÁLVEZ, MARQUÉS DE LA SONORA. Político español, nacido en Vélez Málaga en 1729. Pertenecía a una familia hidalga y, desde muy joven, fue secretario de Grimaldi. Fue enviado a Nueva España como visitador general con plenos poderes e inició el establecimiento permanente de los españoles en la zona norte del virreinato (Sonora, California, Nueva Vizcaya), protegiendo a este fin las misiones franciscanas de California.

BERNARDO DE GÁLVEZ, CONDE DE GÁLVEZ. Militar y administrador español, nacido en Málaga en 1746. Pasó a América en 1776 y, al año siguiente, se le encomendó el gobierno de Luisiana. Conquistó Florida e intervino en las campañas de Jamaica y Bahamas. Recibió la capitanía general de Florida y Luisiana y el título de conde de su apellido (1783). Fue nombrado capitán general de Cuba y virrey de Nueva España (México).

García

APELLIDOS RELACIONADOS: Garci, Garcías, Garcés, Garceller, Garcia, Garcias, Gárcez, Garcea.

Etimología

Algunas fuentes hacen derivar el apellido del vasco *Garsea* o *Garzea*, tal vez a partir del también vasco *artz*, «oso»; otras, de las voces vascas *arti*, «carrasca», y *gazte*, «joven», o del germánico *wars*, «joven guerrero», y otras, del godo *garxa* o *garcha*, «príncipe de vista agraciada».

Orígenes

Apellido patronímico, derivado del mismo nombre propio, muy extendido por la península Ibérica y por América, y sin vínculo de sangre entre ellas. Numerosos caballeros fundaron casas con este apellido, la mayoría de ellos hidalgos por alcurnia y sangre. Uno de los primeros ancestros que se conoce es Íñigo Giménez García, quinto rey de Sobrarbe y cuarto de Navarra, en el año 839. Y en el 843, Ramiro García gobernaba la ciudad de León.

Armas

En campo de plata, una garza de sable, con el pecho rajado; bordura de gules, con el lema «De García arriba nadie diga».

Antecesores destacados

GARCÍA GÓMEZ, CONDE DE SALDAÑA. Caballero que se unió a Almanzor en la expedición contra Vermudo II que tomó León y saqueó la zona de Zamora. Gobernó gran parte del territorio del reino asturleonés (988-989). En el 995 sufrió el ataque de Almanzor, que destruyó Carrión de los Condes, y en el año 1000 fue derrotado por éste en la batalla de Cervera. Murió asesinado por sus enemigos hacia el 1009.

PEDRO GARCÍA DE BENABARRE. Pintor español, activo en Aragón y Cataluña en la segunda mitad del s. XV. En 1455 se encargó de la dirección del taller barcelonés del pintor Bernat Martorell. Su obra más importante es el retablo de Bellcaire, que ha permitido atribuirle otras obras por similitud de estilo, entre ellas, los retablos de Tamarite de Litera y de Benabarre.

Garrido

APELLIDOS RELACIONADOS: Garrudo, Garrit.

Etimología

Significa «gallardo», «hermoso», antiguamente «juguetón», «travieso», por derivación del latino *garrire*, «charlar». Ciertos historiadores apuntan su origen en el árabe *garí*, «hermoso».

Orígenes

Apellido aragonés, derivado del de Diosayuda, de Sos (Zaragoza). Se extendió por toda la península Ibérica y probó nobleza en la orden de Carlos III.

Armas

En campo de oro, una banda de gules engolada en cabezas de dragones de sinople, y acompañada de dos lobos de sable, uno a cada lado; bordura de gules con ocho aspas de oro.

Antecesores destacados

FERNANDO GARRIDO. Escritor y político español (Cartagena 1821-Córdoba 1883). Inició su actividad periodística en Cádiz y en 1845 marchó a Madrid, donde contactó con núcleos furieristas. Fue director y redactor de diversos periódicos prohibidos por la autoridad. Durante diez años vivió una sucesión de exilios, regresos, procesos y persecuciones. Al tiempo que iniciaba su actividad política republicana, publicó su obra más importante, *Historia del reinado del último Borbón de España*, un alegato en favor de la república.

Gascón

APELLIDOS RELACIONADOS: Gascó, Gasc, Gasch, Gas, Guasch, Guarch, Gasca, Guasp, Gascueña, Bascuñana.

Etimología

Gentilicio de la comarca francesa de la Gascuña, derivado del bajo latín *Vasconia*, primitiva zona francesa.

Orígenes

Apellido cuyo origen se ha fijado en la segunda dinastía de los Foix, de la casa real de Francia, enlazada con las de Carlomagno y Borbón, y también emparentada con la realeza alemana. Gastón o Gascón fue un famoso poeta del s. XIV y Gastón o Gascón de Fouis, conde de Foix, fue vizconde de Narbona en el s. XV. El apellido pasó a Navarra, Castilla y Murcia. De una de estas ramas procede Catalina de Foix, reina de Navarra, hija de Magdalena de Francia y hermana de Luis XI y de Carlos, príncipe de Viana. Con el tiempo, la estirpe se entroncó con la casa real de Aragón, asumiendo los señoríos de Zaragoza y de Urgel.

Armas

Escudo partido: 1°, en azur, un águila de oro; y 2°, en campo de gules, un castillo de plata, acompañado de siete flores de lis de oro.

Antecesores destacados

JOSÉ GASCÓN Y MARÍN. Jurisconsulto aragonés, nacido en Zaragoza en 1875. Fue catedrático de derecho político y administrativo y, en 1931, ministro de Instrucción

Pública. Sus obras recogen profusamente la doctrina nacional y extranjera sobre derecho administrativo.

Gil

APELLIDOS RELACIONADOS: Gila, San Gil, Santgil, Giles, Gilo, Gili.

Etimología

Derivado de *Egidio*, del bajo latín *Aegidius*, «el protegido», «el que está bajo la égida», ya que *aegis* era el escudo de Júpiter y de Minerva, hecho de piel de cabra (*aix*, del griego *aigís*).

Orígenes

Apellido cuyas primeras casas solares aparecen en Cantabria. Muchos descendientes probaron nobleza en diversas órdenes militares.

Armas

En campo de plata, una encina de sinople frutada de oro y surmontada de un lucero del mismo metal.

Antecesores destacados

RODRIGO GIL DE HONTAÑÓN. Arquitecto español del s. XVI, hijo y discípulo de Juan Gil, con quien colaboró en las obras de las catedrales de Salamanca y Segovia. Su obra maestra es la Universidad de Alcalá de Henares (1551-1553), uno de los conjuntos arquitectónicos más representativos del plateresco español. Otras obras importantes son la catedral de Astorga, el palacio de los Guzmanes (León) y la iglesia de las Bernardas (Salamanca).

Giner

APELLIDOS RELACIONADOS: Gener, Gené, Janer, Jané, Janés, Jené, Giné, Chiner, Janeiro.

Etimología

Del latín vulgar *genuarius*, y éste, del latín clásico *ianuarius*, referido a enero, el primer mes del año, dedicado al dios Jano *(Janus)*.

Orígenes

Apellido catalán, aunque oriundo de Luxemburgo. Un descendiente de los Chiner, Juan Gener, que tomó parte en la Reconquista, se trasladó a Barcelona y fundó una casa solariega. El apellido se extendió por Valencia, Murcia, Andalucía y el resto de la península Ibérica, y probó nobleza con el ingreso en la orden de Santiago.

Armas

En campo de oro, una mata de enebro, de sinople; bordura de ocho piezas, de sinople.

Antecesores destacados

Francisco Giner de los Ríos. Pedagogo y escritor español (Ronda 1839-Madrid 1915). Catedrático de derecho internacional, participó activamente en las reformas universitarias de la Restauración. Junto con otros profesores liberales fundo la Institución Libre de Enseñanza, que intentó renovar la enseñanza en España sobre las bases de un humanismo de signo liberal, partidario de la coeducación de sexos y de la autonomía universitaria. Puede considerarse como un precursor de la generación del 98.

Gómez

APELLIDOS RELACIONADOS: Gomes, Gomis, Gomáriz, Gomar, Gomà, Gumà, Gomara, Gaminde, Gómiz, Gomila, Gumí.

Etimología

Patronímico del nombre de pila Gome, derivado del gótico *guma* («hombre») o quizá como evolución del latín *comes* («conde»). Respecto a sus variantes, se ha apuntado que

Gomar podría proceder del germánico *Godomar*, de *Gott* («dios») y *mar* («ilustre»), es decir, «famoso como un dios», pero otros lo identifican con *Gundemari*, de *gund* («batalla») y *mar*, es decir, «ilustre en el combate»; **Gomáriz** sería el patronímico de Gomar.

Orígenes

Apellido muy común en la época de los primeros godos y extendido en las montañas de Cantabria y Burgos, aunque también lo llevaban numerosos hombres que se refugiaron en las montañas asturianas durante la invasión árabe de la península Ibérica. Se tiene constancia de un Gome que luchó junto al rey D. Pelayo. Un descendiente suyo fue Rodrigo Gómez, que aparece en las crónicas con el nuevo patronímico. Otro descendiente, el conde Fernán Gómez, fue en su época tan conocido como el mismo Cid Campeador. Varias ramas probaron su nobleza al ingresar en distintas órdenes militares, en la Real Chancillería de Valladolid y en la Real Audiencia de Oviedo.

Armas

En campo de oro, tres fajas de gules; bordura de plata con ocho cruces penetradas.

Antecesores destacados

PAYO GÓMEZ CHARIÑO. Poeta gallego del s. XIII. En su agitada vida compartió la política con la poesía. De Pontevedra, pasó a residir en Rianxo, al ser nombrado señor de la villa. Participó en la conquista de Sevilla y en el cerco de Algeciras. Tras nuevos hechos de armas, en 1292 fue nombrado adelantado mayor de Galicia, y luego, alcaide de Zamora. Murió asesinado por su sobrino en Ciudad Rodrigo en 1295. Su producción poética consta de 28 cantigas, con el mar como tema más usual.

GONZALO GÓMEZ DE ESPINOSA. Navegante español del s. XVI. Participó en la expedición de Magallanes como alguacil mayor y primer piloto de la *Victoria*. Tras la muerte de éste, pasó a ser jefe de la expedición, que llegó a Borneo y a las Molucas. Una avería lo obligó a separarse de Elcano y poner rumbo a América, pero durante la travesía fue capturado por los portugueses.

González

APELLIDOS RELACIONADOS: Gonzálbez, Gozálbez, Gozalo, Gonzalo, Galve, Gálvez, Galvo, Galbes, Galbez, Gonçal.

Etimología

Patronímico de Gonzalo, variante del nombre medieval *Gonzalvo*, y éste a su vez del germánico *Gundisalvus*, compuesto por *gunthis*, «lucha», y *alv* (relacionado con *elfo*, espíritu de la naturaleza en la mitología nórdica); por tanto, «el genio de la batalla». Véase también **Gálvez**.

Orígenes

Apellido patronímico, por lo que los diversos y numerosos linajes no guardan vínculos de sangre. Las casas solares más antiguas parecen ser de las montañas de León y Asturias. Diversos linajes probaron su nobleza en órdenes militares, en las Reales Chancillerías de Valladolid y Granada y en la Real Audiencia de Oviedo.

Armas

En campo de gules, un castillo de oro.

Antecesores destacados

BARTOLOMÉ GONZÁLEZ. Pintor vallisoletano nacido en 1564. Desde 1617 fue pintor de cámara de la casa real española; se especializó en el retrato de miembros de la familia real y también practicó la pintura de asunto religioso.

Francisco González de Bassecourt, conde del Asalto. Militar español del s. XVIII. Aunque nacido en el reino de las Dos Sicilias, su familia era de origen flamenco. Participó en la defensa de La Habana y fue capitán general de Cataluña.

Goñi

Apellidos relacionados: Goicoa, Goycoa, Goicoechea, Goiti, Goitia.

Etimología

Apellido vasco, relacionado con *goi*, «parte superior»; quizá una contracción de *Gogaña*, «encima de la cumbre», o bien equivalente a «pastizal», por *oi* («pasto») y el sufijo locativo *–ni* («sitio de»). Respecto a sus variantes, **Goicoa**, del vasco *goi* con el sufijo locativo *–co*, es decir, «el que vive en la parte superior»; y **Goicoechea**, con la terminación *–etxe* («casa»), por tanto, «la casa de arriba».

Orígenes

Apellido con casa solar de gran alcurnia en el valle navarro de Goñi. Cerca de este palacio almenado se halla una ermita en donde hizo vida ascética el caballero Teodosio de Goñi en la Edad Media. Otro descendiente, Ramiro de Goñi, fue embajador de Navarra ante las Cortes de Aragón, Castilla y Francia. Diversos descendientes probaron nobleza en las órdenes de Santiago, Calatrava y Alcántara, y en la Real Audiencia de Oviedo.

Armas

En campo de oro, cruz llana de gules, que toca con sus extremos los del escudo, cargada de cinco panelas de oro.

Antecesores destacados

Remigio de Goñi. Jurisconsulto español del s. XVI, nacido en Navarra. Muy elogiado en su tiempo, escribió *De charitativo subsidio* (1550) y *De inmunitate ecclesiarum* (1574).

Gracia

APELLIDOS RELACIONADOS: Gracián, Graciano, de Gracia, Gràcia, Gracià.

Etimología

Del latín *gratia*, derivado de *gratus*, «grato».

Orígenes

Su origen se centra en Tolva (Huesca), en el partido judicial de Benavarre, desde donde se expandió por toda la península Ibérica y llegó hasta Portugal, Italia y América. En el s. XV, Pedro Gracia Dei fue cronista de los Reyes Católicos, y en el s. XVIII, Francisco Gregorio y Gracia recibió el título de marqués del Valle Santoro.

Armas

En campo de azur, una rama de sinople fileteada de oro, con tres granadas de oro.

Antecesores destacados

BALTASAR GRACIÁN. Jesuita y escritor español, nacido en Belmonte de Calatayud en 1601. Hizo el noviciado en 1621, aunque antes tuvo que probar su limpieza de sangre para ingresar en la orden. En 1636 fue destinado como confesor y predicador al colegio de Huesca, donde gozó de la protección de Vicencio Juan de Lastanosa, lo que le permitió publicar su primera obra, *El héroe*. Figuró en el ejército del marqués de Leganés y combatió en primera línea para romper el sitio francés de Lleida, por lo que fue aclamado como «el padre de la victoria». Su obra más importante, *El criticón*, apareció en 1651.

Grau

Etimología

Variante del nombre medieval Giraldo, del germánico *gair*, «lanza», y *ald*, «ilustre», «gobernante», por tanto, «que gobierna con la lanza». Respecto a sus variantes, **Gerardo**, de *gair* y *hard*, «fuerte», es decir, «fuerte con la lanza»; y **Garau**, del germánico *Garbald*, de *gair* y *baltha*, «audaz», es decir, «audaz con la lanza».

Orígenes

Apellido catalán de gran alcurnia, destacando las casas solares de La Seu d'Urgell (Lleida) y de La Gleva, en Les Masies de Sant Hipòlit, cerca de Vic (Barcelona). Jofre de Grau

fue uno de los primeros descendientes conocidos, según el cronista mallorquín Jaume Febrer, quien afirmaba que Jofre de Grau descendía de los condes de Barcelona y acompañó al conde de Cardona en la conquista de Valencia. En la barcelonesa iglesia de Santa Catalina, el linaje poseía capilla y sepultura.

Armas

En campo de azur, un grifo de oro, armado de gules.

Antecesores destacados

JUAN GRAU. Escultor catalán del s. XVII. Realizó los sepulcros de los duques de Segorbe y Cardona en el monasterio de Poblet, ayudado por su hijo Francisco, que continuó la obra de su padre en la Seo de Manresa y emprendió luego los sepulcros de los Girón de Rebolledo en la catedral de Tarragona. Falleció en Manresa en 1685.

RAMÓN GRAU SAN MARTÍN. Médico y político cubano, nacido en 1889. Catedrático de fisiología de la Universidad de La Habana y uno de los médicos más eminentes de Cuba. Se enfrentó al régimen dictatorial de Gerardo Machado y llegó a ser presidente de 1944 a 1948.

Guerra

Etimología

Su etimología es confusa: se hace derivar del germánico *werra* («discordia», «reyerta»), pero también del vasco *erro* («zarza»), como variante de *berra, berro* («bosque»), o derivado de *errea*, «la casa quemada».

Orígenes

Su origen se centra en Cantabria, aunque se extendió por la península Ibérica y una de sus ramas llegó a Canarias.

Armas

En campo de oro, una torre de piedra, saliendo llamas por sus ventanas y troneras, y acostada de las palabras «Ave Maria gratia plena».

Antecesores destacados

CRISTÓBAL GUERRA. Navegante español del s. XV. Realizó tres expediciones a América por su interés en los botines de perlas de la isla Margarita. Murió en 1504.

Guerrero

Etimología

Significa «el que hace la guerra», «soldado», derivado del germánico *werra*, que sustituyó al latín *bellum* por su homofonía con *bellus*, «bello», «gracioso». Véase también **Guerra**.

Orígenes

No se saben bien ni su procedencia ni su antigüedad, pero el apellido estaba muy extendido por tierras de Castilla, La Mancha, Aragón y Andalucía, donde existían casas solariegas. Algunos descendientes ingresaron en órdenes militares como la de Alcántara, Santiago, Calatrava y San Juan de Jerusalén.

Armas

En campo de gules, una banda de oro y, brochante sobre ella, una espada de plata, con la punta hacia abajo.

Antecesores destacados

FRANCISCO GUERRERO. Compositor sevillano (1528-1599), discípulo de Cristóbal de Morales. Fue maestro de capilla de la catedral de Jaén en 1546 y cantor de la catedral de Sevilla en el mismo año. Sus obras fueron impresas en España, Francia, Italia y Flandes, caso insólito entre los polifonistas españoles.

Guevara

APELLIDOS RELACIONADOS: Guebara.

Etimología

Se ha sugerido la posibilidad de que se trate de un nombre indoeuropeo relacionado con el gótico *gibla*, del griego *kephalé*, «cabeza», y que derive de *Gébala*, población de los várdulos, una tribu de la Hispania Tarraconense. También se ha interpretado como «paso alto de montaña», del vasco *ara* («montaña»), la raíz *eb* («cortar») y la *g*, que indica que está en lo alto.

Orígenes

Apellido navarro de gran alcurnia, ya que proviene del conde Vela, señor de Álava (año 924). La casa solar se sitúa en Guevara, un castillo fundado por el señor Ladrón Vélez, a quien el rey navarro, García Ramírez, otorgó el título de conde. En el s. XI, un caballero de este linaje participó en la batalla de Alcaraz y en las tomas de Huesca y Zaragoza, y otro descendiente, con nobleza de sangre real, fundó el mayorazgo de Guevara, junto al señorío de Oñate.

Armas

Escudo cuartelado: 1º y 4º, de oro, tres bandas de gules, cargadas de cotizas de plata con armiños de sable; y 2º y 3º, en campo de gules, cinco panelas de plata puesta en sotuer.

Antecesores destacados

ÍÑIGO VÉLEZ DE GUEVARA Y TASSIS. Octavo conde de Oñate, heredó de su tío, Juan de Tassis, el título de conde de Villamediana y el cargo de correo mayor. Fue presidente del Consejo de Órdenes, conspiró contra Olivares y contra Haro, y desempeñó diversas embajadas. En 1648 se le concedió el virreinato de Nápoles, una vez hubo expulsado a los franceses. Luego se retiró a la cartuja de San Martín, abandonando toda actividad pública, hasta su muerte en 1658.

FRAY ANTONIO DE GUEVARA. Escritor español, nacido hacia 1480. Tomó el hábito de franciscano y, tras ocupar diversos cargos, figuró como predicador de la capilla real de Carlos V y, a partir de 1527, como cronista de este rey, por lo que se le encargó escribir la historia contemporánea. Se dice que algunos de los parlamentos pronunciados por el rey fueron escritos por él. En 1539 tomó posesión del obispado de Mondoñedo, donde murió en 1545.

Guillén

APELLIDOS RELACIONADOS: Guillermo, Guil, Guill, Guílez, Guiles, Guillem, Guillón, Guillote, Guimó, Guillamet.

Etimología

Forma del nombre de pila Guillermo, derivado del germánico *Wilhelm*, de *vilja* («decisión», «voluntad») y *helma* («yelmo», metafóricamente «protección»), por tanto, «aquel a quien su voluntad sirve de protección». Respecto a sus variantes, **Guílez** constituye el patronímico de Guillermo.

Orígenes

Apellido muy extendido por la península Ibérica. Varias ramas probaron su nobleza en las órdenes de Alcántara y Santiago, y en la Real Chancillería de Valladolid.

Armas

En campo de plata, una cruz llana, de gules.

Antecesores destacados

PERO GUILLÉN DE SEGOVIA. Poeta español, nacido en Sevilla en 1413. En el reinado de Enrique IV vivió en Segovia, en íntima relación con el arzobispo de Toledo. De su poesía, conservada en cancioneros colectivos, destaca una paráfrasis en verso de los *Siete salmos penitenciales*. Fue el primer poeta castellano que versificó la Biblia.

JORGE GUILLÉN. Poeta español, nacido en Valladolid en 1893. Tras contactar con Paul Valéry en París, pronto adquirió sólida reputación entre los medios literarios más exigentes. Representante de la generación del 27, supo crear un lenguaje poético propio que se refleja en obras como *Cántico* y *Clamor: tiempo de historia*.

Gutiérrez

APELLIDOS RELACIONADOS: Gutierre, Galter, Gualter, Galtés.

Etimología

Patronímico de Gutierre, que corresponde a Gualterio, procedente del germánico *Walthari*, de *walt* o *wald* («mando», «gobierno») y *hari* («ejército», «pueblo»), es decir, «el que gobierna al ejército o al pueblo».

Orígenes

Apellido muy antiguo, se afirma que el linaje procede, a su vez, de la villa de Navia (Asturias) y de las montañas de Cantabria. Numerosos descendientes probaron su nobleza en distintas órdenes militares y en las Reales Chancillerías de Valladolid y Granada.

Armas

En campo de oro, cinco cabezas de sierpe de sinople, lampasadas de gules, goteando sangre y puestas en sotuer.

Antecesores destacados

GUTIERRE FERNÁNDEZ DE CASTRO. Magnate castellano del s.
   XII, hijo del señor de Castrojeriz y tronco del linaje de los
   Castro. Al morir Sancho III, éste le nombró en su testamento tutor de su hijo y sucesor, Alfonso VIII. Pronto despertó la envidia de otra poderosa familia, los Lara, por lo que hubo de refugiarse en el vecino reino de León.

Ḃeras

APELLIDOS RELACIONADOS: Hera, Lasheras, Laseras, Eras, Lahera, Eraso, Era, Erola, Sarola, Sarolas, Eroles.

Etimología

Pese a la *h* inicial, parece referirse al plural de *era*, del latín *area*, «espacio de tierra donde se trillan las mieses». Respecto a sus variantes, las formas catalanas, como **Erola** y similares, proceden del latín *areola*, diminutivo de *area*; por tanto, **Sarola**, *sa erola*, «la erita».

Orígenes

Apellido castellano, con ramas en Briviesca (Burgos), Labastida (Álava), Santander, Casares (Cáceres)... También se ha confirmado su existencia en Navarra y en La Rioja, y algunas ramas llegaron a Valencia y a Cataluña. Diversos descendientes, de todas las casas solares, probaron nobleza, y en 1746, Tomás de las Eras ganó la hidalguía en la Real Chancillería de Valladolid.

Armas

En campo de oro, dos lobos de sable, puestos en palo; bordura de gules.

Antecesores destacados

JUAN GREGORIO LAS HERAS. General argentino, nacido en Buenos Aires en 1780. Ascendió rápidamente en el ejército y en 1813 pasó a Chile, tomando parte en la batalla de Membrillar. Sirvió en la campaña del sur, a las órdenes de O'Higgins. En 1824 fue nombrado gobernador y capitán general de Buenos Aires, y al año siguiente se encargó del poder ejecutivo nacional. Murió en Chile en 1866.

Hermosa

APELLIDOS RELACIONADOS: Hermoso, Hermosel, Hermosilla, Hermosel.

Etimología

Forma moderna y femenina de *Formoso*, variante del gallego *fermoso*, del latín *formosus*, y a su vez derivado de *forma*, «hermosura».

Orígenes

Apellido originario de las montañas cántabras de Trasmiera, en el lugar de Hermosa, donde se establecieron las primeras casas solariegas. Luego pasó a Vizcaya y Navarra, y se extendió al resto de la península Ibérica. A D. Diego Gutiérrez de la Hermosa se le concedió el dominio y señorío de la villa de Ortigosa, y en 1706 se concedió el condado de Torrehermosa a D. Francisco Hermosa Revilla, caballero de la orden de Calatrava.

Armas

Escudo cuartelado: 1º, en campo de sinople, una piña de oro; 2º y 3º, en campo de plata, dos lobos andantes, de sable, y puestos en palo; y 4º, en campo de gules, un castillo de oro. Bordura de azur, con cinco flores de lis de oro.

Antecesores destacados

LORENZO HERMOSO. Llamado abate Hermoso, nació en Caracas en el s. XVIII. Era un laico casado al servicio del patriarca de las Indias, y se le acusó de haber participado en el motín de Esquilache. Fue condenado a destierro a 40 leguas de los sitios reales por un período de diez años, aunque su proceso parece organizarse en relación con la posterior expulsión de los jesuitas de España.

Hernández

APELLIDOS RELACIONADOS: Fernández, Fernando, Ferrández, San Fernando, Ferranz, Ferrand, Ferrant, de Ferrán, Ferrándiz, Farrán, Ferran, Ferrandell, Ferrandis, Fernán, Ferrando, Hernando, Hernán, Hernáez, Hernaz, Herráez, Herrainz, Herraiz, Herrando, Herrándiz, Herranz, Herrán.

Etimología

Variante de Fernández, patronímico de Fernando. La *h* muda actual correspondía a una *h* aspirada que acababa perdiendo toda sonoridad. Véase **Fernández**.

Orígenes

Apellido muy común en toda la península Ibérica y también en América. Algunos descendientes probaron su nobleza en las órdenes militares de Santiago y de Carlos III, y en la Real Chancillería de Valladolid.

Armas

En campo de gules, tres aspas de oro bien ordenadas.

Antecesores destacados

FRANCISCO HERNÁNDEZ. Botánico español, nacido en Puebla de Montalbán en 1517. Felipe II, de quien era médico de cámara, lo envió a México con el encargo de estudiar la flora y la materia médica de la región. Fruto de su trabajo fueron los 17 volúmenes de su *Historia natural de Nueva España*, además de traducir la *Historia natural* de Plinio.

ALONSO HERNÁNDEZ DE PORTOCARRERO. Conquistador español, nacido en Écija. Era amigo íntimo de Hernán Cortés, a quien acompañó en su expedición a México (1519).

Fue nombrado alcalde de la ciudad de Veracruz y enviado por Cortés a España en calidad de procurador para conseguir autoridad directa al margen del gobernador de Cuba.

Herrera

APELLIDOS RELACIONADOS: Hierro, Hierros, Ferrero, Ferreras, Ferreres, Ferreiro, Ferrería, Herrería, Herrerías, Ferreira, Ferreiras, Ferrari, Herrada, Herradas, Herradón, Herrador, Herrero, Herreros, Ferraz, Ferrás, Farraz, Ferrer, Ferré, Farré, Ferrís, Ferrusola, Ferret, Ferreter, Ferrater, Ferraté, Ferrerons, Ferrarons, Ferragut.

Etimología

Véase **Hierro**.

Orígenes

Apellido originario de las montañas de Cantabria, según parece, derivado de la casa de Lara. Se extendió por toda la península Ibérica con la Reconquista y probó nobleza en numerosas órdenes militares. Una rama del linaje pasó a Cuba, y otra, a las islas Canarias.

Armas

En campo de gules, dos calderas de oro con cabezas de sierpe de sinople por asas; bordura del mismo color con ocho calderas de oro.

Antecesores destacados

JUAN DE HERRERA. Arquitecto español del s. XVI, creador del estilo oficial impuesto durante el reinado de Felipe II, el herreriano. Se incorporó a la obra de El Escorial y, como arquitecto del rey, centralizó las empresas constructivas de la corona y supervisó a los restantes arquitectos. También intervino en el palacio de Aranjuez.

FERNANDO DE HERRERA. Poeta sevillano del s. XVI, llamado por sus contemporáneos el Divino. Representa, en su nivel más elaborado, el preciosismo retórico y la erudición poética de la escuela andaluza del segundo renacimiento.

Hidalgo

APELLIDOS RELACIONADOS: Fidalgo, Hidalga, Lahidalga, de la Hidalga, Hijodalgo.

Etimología

Del latín *filius aliquid*, «alguna cosa», es decir, «hijo de algo», en el sentido de bienes y riquezas, que más tarde acabó empleándose para distinguir a los nobles, «persona de clase noble», de los villanos. Respecto a la variante **Hijodalgo**, en un texto del año 985 aparece *fixodalgos* latinizado como *filii bene natorum*, «hijos de bien nacidos».

Orígenes

Apellido de antiguo linaje, originario de Tiscar, en la sierra cántabra, lugar de procedencia del caballero Pedro Hidalgo, el cual se apoderó de una fortaleza enemiga en tiempos de la Reconquista. También existe casa solariega en Andalucía.

Armas

En campo de azur, un lucero de oro, de ocho puntas.

Antecesores destacados

JUAN HIDALGO. Compositor español y arpista de la real capilla de Madrid desde 1631. Fue uno de los primeros compositores españoles que escribieron música para obras teatrales. Colaboró con Calderón de la Barca en la ópera *Celos aun del aire matan*, estrenada en 1660.

BARTOLOMÉ HIDALGO DE AGÜERO. Cirujano sevillano (1531-1597), fue catedrático de la Universidad de Sevilla y autor de *Tesoro de la verdadera cirugía*, que describe una «vía particular» para el tratamiento y curación de las heridas.

Hierro

APELLIDOS RELACIONADOS: Hierros, Herrera, Ferrero, Ferreras, Ferreres, Ferreiro, Ferrería, Herrería, Herrerías, Ferreira, Ferreiras, Ferrari, Herrada, Herradas, Herradón, Herrador, Herrero, Herreros, Ferraz, Ferrás, Farraz, Ferrer, Ferré, Farré, Ferrís, Ferrusola, Ferret, Ferreter, Ferrater, Ferraté, Ferrerons, Ferrarons, Ferragut.

Etimología

Del latín *ferrum*, «hierro», metal de gran importancia.

Orígenes

Apellido castellano, del lugar de su nombre, en el concejo de Merindad de Cuesta-Urría, partido judicial de Villarcayo (Burgos).

Armas

Escudo partido: 1º, de oro, cortado por una faja de sable cargada de tres flores de lis de plata, un hierro de lanza en banda en la parte superior, y en la inferior, un castillo de azur sobre peñas de lo mismo; y 2º, en campo de plata, un roble de sinople, acostado de dos calderas de sable, una a cada lado.

Antecesores destacados

AGUSTÍN DE HIERRO. Jurisconsulto español del s. XVI. Caballero de la orden de Calatrava y fiscal del Consejo, intervino en el proceso seguido por el asesinato en Madrid del embajador de Inglaterra.

Hinojosa

Etimología

Voz procedente del latín tardío *fenuculum*, diminutivo de *fenus*, «heno», y por tanto, «lugar donde abunda el hinojo». La *i* inicial se ha explicado por contaminación de *genuculum* («rodilla»), que derivó en *yenojo*. Constituye el nombre de diversos lugares de Salamanca, Toledo, Teruel, Burgos, Guadalajara, Cuenca y Soria, debido al extenso cultivo de hinojos. La abundancia del vegetal origina innumerables variantes como **Fenollera**, «campo de hinojos».

Orígenes

Apellido con varias casas solares primitivas, extendidas por Castilla, Andalucía y Extremadura: Hinojosa del Duque (Córdoba), Hinojosa de San Vicente (Toledo), Hinojosa del Campo (Soria), Hinojosa del Valle (Badajoz)...

Este apellido viene rodeado de una leyenda según la cual un hidalgo natural de Hinojosa de Cuenca fue requerido por su señor, el Cid Campeador, para realizar una incursión por la frontera de Jerez, de la cual regresó gravemente herido y expiró cerca de unos matorrales de hinojos. Para dar cuenta del resultado de su incursión, en el sentido de no acometer acción alguna sobre aquella comarca, escribió de su propia mano el mensaje: «Tárdese el Cid». Sus descendientes probaron nobleza en las órdenes de Alcántara y Santiago, y así se acredita en la Real Chancillería de Córdoba.

Armas

En campo de plata, una mata de hinojos de sinople sobre agro y dos borduras, la primera de oro, con cuatro leones de púrpura, rampantes, y la segunda, que es la exterior, de plata, con esta leyenda en sable: «Tárdese el Cid».

Antecesores destacados

EDUARDO DE HINOJOSA Y NAVEROS. Jurisconsulto e historiador granadino, nacido en 1852. Fue catedrático en la Escuela Superior de Diplomática de Madrid e intervino en política con el Partido Conservador. Su *Historia general del derecho español* (1887) fue el primer manual científico, y único durante mucho tiempo, utilizado en las universidades españolas. Murió en Madrid en 1919.

Hurtado

APELLIDOS RELACIONADOS: Furtado.

Etimología

Derivado del latín *furtus*, «robo», y éste a su vez de *fur*, «ladrón». Por tanto, el apellido se refiere a una persona que actúa aviesamente, a escondidas, a *hurtadillas*.

Orígenes

Apellido descendiente de Doña Urraca, reina de León y madre de Fernando Hurtado, el primero en llevar el apellido, aunque después se extendió por toda la península

Ibérica. La hija de éste casó con el caballero Diego López de Mendoza, y así se originó la casa solar de Hurtado de Mendoza.

Armas

En campo de gules, tres paneles de plata, bien ordenados.

Antecesores destacados

ANDRÉS HURTADO DE MENDOZA. Administrador español del s. XVI, marqués de Cañete y virrey de Perú (1555-1561). En 1559 encomendó a Pedro de Ursúa la expedición a El Dorado y Omagua, y ese mismo año creó la Audiencia de la Plata, en la provincia de Charcas. Falleció en Lima en 1561.

LUIS HURTADO DE TOLEDO. Escritor español del s. XVI, fue cura rector de la iglesia de San Vicente de Toledo y participó activamente en el ambiente literario de la ciudad. Dio un nuevo impulso a la imprenta en 1557 con la edición de diversas obras. En 1576 compuso un interesante tratado histórico, *Memorial de algunas cosas notables que tiene la imperial ciudad de Toledo.*

Ibáñez

APELLIDOS RELACIONADOS: Ibañes, Ybáñez, Santibáñez, Juan, de Juan, Juanas, Juanes, de Juanes, San Juan, Sanjuan, Joan, Santjoan, Joanet, Joanic, Jovany, Jubany, Juantegui, Juanena, Juarena, Seoane, Xoán, Yáñez, Yáñiz, Yanes, Yánez.

Etimología

Patronímico de *Iván*, forma antigua de *Juan*, resultado de la confusión de la *u* latina con una *v*. Véase **Juanes**.

Orígenes

Apellido cántabro, descendiente del conde D. Gómez, cuyo hijo, Gonzalo Ibáñez, fundó casa solar en Trasmiera, conquistó Baeza a los moros y fue alcalde de esta ciudad. El apellido se extendió por la península Ibérica y uno de los descendientes, Francisco Ibáñez Casas, pasó a Chile y dio origen a una importante rama sudamericana tras su boda, en 1784, con M.ª Ignacia Salces Infante.

Armas

En campo de gules, dos bastones de oro acompañados de dos armiños, uno en cada uno; partido de plata, con un castillo de tres torres de piedra, sobre ondas de mar de azur y plata. Bordura de plata, con ocho aspas de gules.

Antecesores destacados

CARLOS IBÁÑEZ DE IBERO, MARQUÉS DE MULHACÉN. General del arma de ingenieros, nacido en Barcelona en 1825, fue el fundador de la geodesia moderna española. Durante casi veinte años presidió la Comisión Internacional del Metro. El trabajo que le dio más fama fue la medida de la base de Madridejos (Toledo) para la triangulación de España, base para la confección del mapa nacional a escala 1:50.000.

ANTONIO IBÁÑEZ DE LA RIVA HERRERA. Prelado español, nacido en Solares (Cantabria) en 1633. Fue obispo de Ceuta y arzobispo de Zaragoza, y desempeñó los cargos más ilustres del reino. Durante la guerra de Sucesión defendió la causa felipista, lo que le valió los favores de Felipe V y el nombramiento de inquisidor general y de arzobispo de Toledo.

Ibarra

APELLIDOS RELACIONADOS: Ybarra, Ibarrola, Ybarrola, Ibarburu, Ibargoitia.

Etimología

Del vasco *ivar*, con el artículo *a*, «la vega», «la ribera». La *y* inicial corresponde a una grafía arcaica. Respecto a sus variantes, **Ibarburu**, en composición con *buru*, «cabeza»; **Ibargoitia**, con *goiti*, «casa», es decir, «la casa de la vega»; e **Ibarrola**, con *ola*, «ferrería», es decir, «ferrería de la vega».

Orígenes

Apellido vasco muy antiguo, originario de Sopelana (Vizcaya), cuyos descendientes han portado numerosos títulos nobiliarios y se han relacionado con las familias más ilustres. Luego se extendió por Valencia, Aragón, Cataluña y Andalucía, una de cuyas ramas pasó a América y dio origen a un eminente linaje en Ecuador, con destacados hombres de letras y armas.

Armas

En campo de plata, tres cabezas de sierpe de sinople, linguadas de gules y bien ordenadas.

Antecesores destacados

FRANCISCO DE IBARRA. Conquistador y colonizador español, nacido en Guipúzcoa hacia 1539. De muy joven se trasladó a México, donde inició la conquista y explotación minera de los territorios del noroeste. Felipe II le nombró adelantado y capitán general de la provincia de Nueva Vizcaya. En 1564 comenzó la conquista del norte de Sinaloa y contribuyó a la fundación de nuevas ciudades, como las actuales Concordia y El Fuerte. Falleció en México en 1575.

Iglesias

APELLIDOS RELACIONADOS: Iglesia, Laiglesia, de la Iglesia, de Laiglesia, Església, Grijalbo, Grijalba.

Etimología

Procedente del latín vulgar *ecclesia*, «reunión del pueblo», «asamblea de fieles», derivado a su vez del griego *ekklésia*; en el s. VI tomó el sentido de «casa de culto» o «templo». Respecto a sus variantes, **Grijalba** y **Grijalbo**, del pueblo coruñés del mismo nombre, antiguamente *Igreja alba*, «iglesia blanca».

Orígenes

Apellido castellano, extendido rápidamente por toda la península Ibérica.

Armas

Escudo partido: 1º, de azur, y 2º, de oro, y brochante sobre el todo, una iglesia de plata.

Antecesores destacados

JOSÉ MARÍA IGLESIAS. Político mexicano del s. XIX. Ingresó en el Partido Liberal y desempeñó el cargo de secretario de Hacienda y el de ministro de Justicia. Diputado al congreso, fue sucesivamente ministro de Gobernación y de Justicia con Juárez. Apenas pudo oponerse a Porfirio Díaz y tuvo que abandonar el país, al que regresó en 1877.

IGNASI IGLESIAS. Dramaturgo español en lengua catalana, nacido en Barcelona en 1871. El contenido de su teatro, de carácter socializante y con influencias de Ibsen, le creó dificultades con las empresas.

Infante

APELLIDOS RELACIONADOS: Infantes, Ynfante, Infant, Infants.

Etimología

Del latín *infans, infantis* («niño pequeño», «incapaz de hablar»), compuesto por *fari* («hablar») y la partícula privativa *in–*. En la Edad Media se refería al mozo noble hasta que heredaba a su padre, aunque más tarde se reservó para los hijos de reyes, y desde el s. XVI, «soldado que sirve a pie» (de infantería).

Orígenes

Apellido andaluz, con primitiva casa solar en Córdoba, establecida por una rama del linaje de los Témez, llevada allí por un caballero conquistador de Baeza. Otra rama, la de Aracena (Huelva), pasó a Chile. Varios caballeros mostraron su nobleza al ingresar en las órdenes militares de Santiago y Carlos III. En 1538, el emperador Carlos I concedió escudo de armas a D. Juan Infante, vecino de Tenochtitlán (México).

Armas

En campo de oro, cinco águilas de sable puestas en sotuer.

Antecesores destacados

JOSÉ MIGUEL INFANTE ROJAS. Político chileno, nacido en Santiago en 1778. Formó parte de la junta gubernativa de Chile y fue senador y ministro de Hacienda. Es autor de la ley de abolición de la esclavitud en Chile (1823) y organizó el país bajo un régimen federal.

Izquierdo

APELLIDOS RELACIONADOS: Yzquierdo, Ezquer, Ezker, Ezquerra, Ezquerro, Izquierdos, Esquerdo, Esquerro, Esquerra, Escarrà, Esquerrà.

Etimología

Procedente del prerromano hispano de la zona pirenaica, quizá del vasco *ezker*, «zurdo», empleado como apodo, y que luego se extendería al resto de la península Ibérica en la época visigótica. Respecto a la variante **Esquerro** y similares, parece que se difundieron cuando ya se había cerrado el proceso de palatalización de la *z*.

Orígenes

Apellido aragonés, extendido rápidamente por toda la península Ibérica, una de cuyas ramas pasó a América.

Armas

En campo de gules, una banda de oro engolada en dragones de sinople y acompañada de dos estrellas del mismo metal, una a cada lado.

Antecesores destacados

EUGENIO MARTÍN IZQUIERDO Y RIVERA DE LEZAMA. Naturalista y diplomático navarro, nacido hacia 1745. Miembro de la Sociedad Económica Vascongada, viajó por Europa con diversas misiones diplomáticas. Apoyado por Godoy, fue nombrado director del gabinete de historia natural, pero también actuó como agente secreto de éste en París, facilitando la política napoleónica en España.

Jiménez

APELLIDOS RELACIONADOS: Giménez, Ximeno, Jimeno, Gimeno, Jimena, Gimena, Ximénez, Eiximenis, Simeón, Simón, Simó, San Simón, Simonet.

Etimología

J Patronímico de Jimeno, una variante medieval del nombre bíblico Simón o Simeón, llevado por el segundo hijo de Jacob; derivado del hebreo *Shimeon*, «el que es escuchado (por Dios)», y éste a su vez de *shamah*, «escuchar», porque su nacimiento se debió a que Dios había escuchado las súplicas de Lía, una de las esposas de Jacob. **Giménez**, **Ximénez** y **Eiximenis** también son patronímicos de Jimeno.

Orígenes

Apellido cuyas casas solariegas más antiguas se ubican en Navarra y Aragón. Algunas de sus ramas demostraron nobleza en distintas órdenes militares.

Armas

En campo de azur, tres veneras de plata; partido de oro con dos fajas de gules.

Antecesores destacados

MIGUEL JIMÉNEZ. Pintor español, documentado en Zaragoza entre 1466 y 1505. En sus obras se manifiesta una fuerte influencia de B. Bermejo. Se le atribuyen el *Retablo de san Juan Bautista*, procedente de Sigena, y el *Retablo de san Martín*, en Zaragoza.

JUAN JIMÉNEZ CERDÁN. Político aragonés. Justicia de Aragón (1390-1420), se opuso a la designación del conde de Urgel como lugarteniente de Aragón por no ser el heredero directo del rey Martín I, e influyó en los compromisarios de Caspe para la elección de Fernando de Antequera. Falleció en Zaragoza en 1435.

Juanes

Etimología

Del nombre de pila *Juan*, usado como apellido, del latín *Iohannes*, procedente del hebreo *Yehohanan*, «Dios misericordioso». Respecto a sus variantes, **Seoane**, *Seo de Juan*, población gallega; **Jovany** y **Jubany** parecen italianismos o variantes arcaicas; y **Juanena**, en vasco, «la casa de Juan». Véanse también **Ibáñez** y **Yáñez**.

Orígenes

Apellido de origen valenciano.

Armas

Escudo cuartelado: 1º y 4º, en campo de plata, un águila de sable; y 2º y 3º, jaquelado de plata y sable.

Antecesores destacados

JORGE JUAN Y SANTACILIA. Marino y científico alicantino, nacido en Novelda en 1713. Intervino en la expedición a Orán y también en la expedición francesa a Perú, encargada de realizar la medida del grado de meridiano. Vuelto a Madrid, publicó *Noticias secretas de América*, donde exponía el verdadero estado de las colonias indianas y los abusos cometidos con los indígenas. Dirigió los arsenales de El Ferrol y Cartagena, fundó el Observatorio Astronómico de Cádiz y en 1770 ocupó la dirección del Seminario de Nobles.

Juárez

APELLIDOS RELACIONADOS: Suárez, Suero, Sueira, Sueiras, Soárez, Soares.

Etimología

Derivación del *Xuárez* medieval, hoy Suárez. Véase **Suárez**.

Orígenes

Apellido gallego, con casa solar en Santiago de Compostela, que se extendió por Asturias, Castilla y el resto de la península Ibérica. Aunque no abunda en el sur de España, una de sus ramas pasó a América, en especial a México.

Armas

En campo de gules, un castillo de oro.

Antecesores destacados

JOSÉ JUÁREZ. Pintor de Nueva España, documentado entre 1635 y 1665, el más importante de ese virreinato en el s. XVII. Su estilo entronca con el claroscurismo de Zurbarán, vigente en Sevilla en aquella época. Entre sus obras destacan *La Sagrada Familia* y *Martirio de san Lorenzo*.

BENITO PABLO JUÁREZ. Político mexicano (1806-1872). Comenzó su carrera como diputado, fue gobernador del estado de Oaxaca y ministro de Justicia. Tras diversos exilios y avatares políticos, llegó a ejercer el mandato presidencial.

Jurado

Etimología

Participio pasivo de *jurar*, del latín *iurare*, «afirmar o negar poniendo a Dios por testigo», lo que dio lugar a multitud de cargos, desempeñados bajo juramento y por tanto a la extensión del apellido.

Orígenes

Las primeras casas solares se sitúan en las montañas de Cantabria, pero varios descendientes pasaron el apellido a Andalucía al participar en su reconquista, y allí fundaron nuevos linajes.

Armas

En campo de oro, seis roeles de sable, puestos en dos palos.

Antecesores destacados

JUAN JURADO Y ROJAS. Teólogo y abogado, nació en El Carpio (Córdoba) en 1757. En 1795, el rey le confirió el cargo de auditor de guerra, nombrándolo también teniente de gobernador y asesor general de su Real Hacienda en la isla de la Trinidad. En 1807 fue oidor de la Real Audiencia de las Provincias de Venezuela, y en 1811, de la de Santa Fe (Panamá). En 1816 fue trasladado a Cuba como fiscal del crimen de la Real Audiencia de la isla.

Lara

APELLIDOS RELACIONADOS: Lares, Lárez, Láriz.

Etimología

Se ha considerado que se trata de un celtismo a partir de la raíz indoeuropea *pla–*, de donde debió salir un antiguo adjetivo *lara* que significaría «plano». Otros creen que podría considerarse derivación del vasco *lar*, «zarza», con el artículo *–a*, e incluso hay quien deriva la palabra del latín *lar, lares*, en principio «divinidades etruscas y romanas» y, más tarde, «hogar».

Orígenes

Apellido noble, descendiente directamente de los condes de Castilla, de donde se extendió a toda la península Ibérica. Durante varios siglos, los señores de Lara desempeñaron un papel decisivo en la vida política de Castilla. El castillo de Lara fue edificado, a fines del s. IX, por Gonzalo Fernández, conde de Burgos, sobre una posición natural estratégica en las proximidades del río Arlanza. A lo largo del s. XII crecieron los

señoríos sobre los que ejercían su jurisdicción: Asturias de Santillana, comarcas de Campoo, Ojeda y Valdavia, zona burgalesa de Lara, Extremadura soriana... La casa central de los Lara pasó a Nuño Pérez, quien amplió sus posesiones en Castilla (Saldaña, Carrión...). La expansión por el valle del Guadalquivir les permitió establecerse en tierras andaluzas. Muchos de sus descendientes ingresaron en órdenes militares y obtuvieron títulos nobiliarios, a la vez que entroncaban con otras familias de abolengo: marqueses de Aguilar, condes de Osorno... Del tronco inicial de esta casa solar se desprenden 19 grandes ramas.

Armas

En campo de gules, dos calderas jaqueladas de oro y sable, puestas en palo; saliendo de cada asa, siete cabezas de sierpe, tres hacia dentro y cuatro hacia fuera.

Antecesores destacados

Nuño González de Lara. Apodado el Bueno, intervino en las campañas de Fernando III y colaboró en la conquista de Murcia. Dominaba Lerma y Torrelobatón, y era señor de Écija y de Jerez. En 1270 se sublevó contra el rey Alfonso X el Sabio.

Leal

Apellidos relacionados: Lealtad.

Etimología

Del latín *legalis*, «conforme a la ley», derivado a su vez de *lex*, *legis*, «ley».

Orígenes

Apellido fundado por el caballero García de García, que se distinguió en la toma de Baeza, por lo que el rey lo autorizó a cambiar García por Leal, aunque algunos de sus descendientes utilizaron ambos apellidos conjuntamente. Este caballero también fue autorizado a usar la cruz de San Andrés.

Armas

En campo de plata, tres rocas sobre ondas de agua azur y plata, con matas de ortiga de sinople y un triángulo de azur, que baja hasta la ortiga del centro, cargado de un león rampante de oro.

Antecesores destacados

Isidro Leal de Cáceres y Cortés. Natural de Villanueva de la
Serena (Badajoz), fue teniente coronel y caballero de la orden de Santiago en 1708.
Fue familiar del Santo Oficio y regidor perpetuo de Mérida.

Leiva

Apellidos relacionados: Leyva, Leiba, Leivas, Leivar.

Etimología

Variante del vasco *Leibar*, compuesto por *le(g)ar*, «grava», e *ibar*, «vega», y por tanto, «ribera de grava».

Orígenes

Apellido originario de La Rioja, de la villa del mismo nombre, en el partido judicial de Santo Domingo de la Calzada. Casa solar fundada por Alvar García, señor de dicha villa en el año 970. Se tiene por primer descendiente con el apellido al caballero Mingo Ruiz de Leiva o Leyva, que ostentaba el sobrenombre de «Brazo de hierro» por vencer a muchos de sus enemigos con sus brazos. Una rama pasó a Murcia, y otra, a Milán, donde ostentó los títulos de príncipes de Ascoli, marqueses de Astela y condes de Monza. El marquesado de Leiva también posee una gran antigüedad.

Armas

En campo de azur, un castillo jaquelado de oro y gules.

Antecesores destacados

ANTONIO DE LEIVA. Militar navarro (1480-1536). Participó en la campaña contra los moriscos en las Alpujarras y, en 1503-1504, estuvo en Italia, a las órdenes del Gran Capitán. En 1524 derrotó y capturó a Francisco I de Francia; en recompensa, Carlos V le otorgó el gobierno del Milanesado y el título de príncipe de Ascoli.

JUAN FRANCISCO LEIVA Y DE LA CERDA. Administrador español, ostentó los títulos de marqués de Leiva y de Ladrada y de conde de Baños. Nombrado virrey de Nueva España (1660-1664), su gestión colonial se caracterizó por una pésima política administrativa. Reprimió una sublevación de los indios de Tehuantepec y otra de los tarahumaras. De regreso a España, ingresó en el convento de carmelitas de Pastrana, con el nombre de fray Juan de San José.

León

APELLIDOS RELACIONADOS: de León, Deleón, Leo, Leona, Leonardo, Leoncio, Lleó, Lleonard.

Etimología

Nombre común convertido en apellido, originario del nombre de la ciudad, antigua colonia militar que los romanos llamaban *Legio Septima Gemina*, una de las tres legiones que guarnecían el norte de España. Posteriormente, *legion(em)*, derivado de *legere* («reclutar»), se redujo por síncopa a *leon(em)*, y con el nuevo sentido del nombre, el león, dibujado en el escudo del reino, se convirtió en un símbolo de fuerza y bravura. Respecto a sus variantes, **Leoncio**, del griego *Leóntios* «leonino»; y **Leonardo**, unido con el germánico *hard* y, por tanto, «león fuerte».

Orígenes

Apellido descendiente del rey Alfonso IX y originario de las montañas de León.

Armas

En campo de plata, un león rampante de gules.

Antecesores destacados

DIEGO DE LEÓN, CONDE DE BELASCOAIN. Militar cordobés, nacido en 1807. Durante la segunda guerra carlista se distinguió en Mendigorría, Monteajurra y Villarrobledo, y tomó Belascoain. Nombrado capitán general de Castilla la Nueva, al subir Espartero al poder, pasó a Francia. Fue juzgado y fusilado tras sublevarse en Pamplona en 1841.

Letona

Etimología

Del vasco *eto*, «junco», y el sufijo locativo –*ona*, con *l* protética, es decir, «juncal», o bien del vasco *eleta*, «pastizal».

Orígenes

Apellido vasco, del lugar del mismo nombre, en el ayuntamiento de Cigoitia (Álava), de donde se extendieron varias ramas al resto de la península Ibérica y América, especialmente a Cuba (Antonio López de Letona fue gobernador militar de La Habana).

Armas

En campo de gules, un castillo de oro, aclarado de azur, y saliente de la torre del homenaje, un brazo armado, de plata, con una espada desnuda en la mano.

Antecesores destacados

JUAN LÓPEZ DE LETONA Y HURTADO DE MENDOZA. Descendiente de la casa principal, fue consejero real, oidor de la Chancillería de Valladolid, superintendente de la Junta Militar y caballero de la orden de Santiago en 1626.

López

Etimología

Patronímico de Lope, forma evolucionada del latín *lupus*, «lobo», de la raíz indoeuropea *ulkuos*, «malvado», «sediento de sangre», antiguo apodo de guerrero temerario.

Respecto a sus variantes, **Lobera** y **Lopera**, del latín *luparia*, «monte en que hacen guarida los lobos»; **Villalobos**, de *Villa luporum*, «villa de los lobos», en la provincia de León; **Cantallops**, «lugar donde se oía ulular a los lobos»; **Lopena**, **Loperena** y **Lopetegui**, «la casa de Lope»; **Ochoa**, tradicionalmente identificado con *otso* más el artículo *–a*, «el lobo», aunque también se han sugerido los orígenes *otsa* («pasto»), *otsaur* («lugar de gramas») u *oitzo* («protuberancia montañosa»); y **Ochotorena**, «la casa de Ochoto (Ochoa el pequeño)».

Orígenes

Apellido cuya casa solar más antigua radica en Galicia, de donde pasó a la conquista de Andalucía. Numerosos descendientes han sido hidalgos por herencia sanguínea. En el libro *Becerro de Castilla*, que mandó escribir el rey Alfonso XI, se dice que en tiempos de la dominación romana llegó a la península Ibérica la familia de los Lupos, de la que procedía la reina Lupa, soberana en Galicia cuando se trasladaron los restos de Santiago Apóstol. De ella derivaron los Lupus y, por corrupción de palabras, los Lope o López. Pedro López y García López fueron caballeros del rey Fernando III el Santo. Los descendientes probaron nobleza en las órdenes militares y en las Reales Chancillerías de Valladolid y Granada.

Armas

En campo de gules, trece roeles de oro.

Antecesores destacados

PERO LÓPEZ DE AYALA. Escritor y político castellano (Vitoria 1332-Calahorra 1407). Durante el reinado de Pedro I llegó a desempeñar el cargo de alcalde de Toledo, y fue miembro del consejo de regencia que preparó el advenimiento de Enrique III. Canciller y cronista, es una de las figuras notables del s. XIV, verdadero ejemplo del primer renacimiento. De su obra original destacan las *Crónicas*, el más importante documento histórico de los cuatro reinados durante los que vivió.

JUAN LÓPEZ DE VELASCO. Historiador y cosmógrafo español del s. XVI. Cronista del Consejo de Indias, se dedicó a una labor de clarificación y síntesis de los datos obtenidos del Nuevo Mundo, lo que le permitió ofrecer una visión global del mismo en *Geografía y descripción universal de las Indias*.

$\mathcal{L}$

Lorenzo

APELLIDOS RELACIONADOS: Lorenz, Laurenz, Lorenza, Lorenzana, Loren, Lorena, Lorente, Lorán, Llorenç, Llorens.

Etimología

Nombre de pila usado como apellido, equivalente a *Laurencio*, del latín *Laurentium*, forma evolucionada de *Laurentius*, gentilicio de la ciudad de *Laurentum*, en el Lacio, llamada así por un célebre laurel (del latín *laurus*). Respecto a sus variantes, **Lorenzana**, «la casa de Lorenzo».

Orígenes

Apellido cuya casa solar fundacional, muy antigua e hidalga, radica en Galicia y en las montañas colindantes de León. La primitiva casa solar se encuentra en Villar del Barrio (Allariz, Orense), fundada en el s. XI. Otras ramas erigieron casa solariega en Cid de Meri (Orense) y en Cerro del Carro, a orillas del Miño. Álvaro Lorenzo fue caballero principal al servicio de Alfonso VII el Emperador, mientras que Domingo Lorenzo lo fue de Fernando III el Santo. Algunos descendientes se extendieron a Asturias o formaron parte de la Orden de Cristo de Portugal.

Armas

En campo de azur, dos estrellas de ocho puntas, de oro; partido de sinople con una banda de oro.

Antecesores destacados

JUAN LORENZO. Escritor del s. XIII, natural de Astorga, posible autor del *Libro de Alexandre* castellano. Por un error de lectura, hasta 1934 fue llamado Juan Lorenzo Segura de Astorga.

Losada

APELLIDOS RELACIONADOS: Losa, Losas, Losada, Losilla, Llosa, Lloses, Llosas.

Etimología

Del latín *lausa*, «losa», «pizarra», y por tanto, «enlosado» o «lugar abundante en losas». Tampoco se descarta que en algún caso corresponda a una variante de la voz *llosa*, evolucionada del latín *(corte) clausa*, «(posesión) cercada o cerrada».

Orígenes

Apellido gallego, linaje de la casa de los Sanabria, que erigió solar fundacional en Quiroga (Lugo) gracias a dos hermanos, los caballeros Juan y Diego Losada. Sus descendientes fueron en su mayoría nobles españoles, entroncados con familias de prestigio. Martín de Losada llegó a casarse con una hija bastarda de Pedro I el Cruel.

Las diversas ramas cuentan con los condados de Bornos, Maceda, San Román y Palancas, y con los señoríos de Batres, Laroco, Carballedo, Pazos de San Niño, Castiñeiro y Cubillos del Sil.

Armas

En campo de gules, una losa de plata, y debajo de ella, dos lagartos de sinople.

Antecesores destacados

DIEGO DE LOSADA. Conquistador español, nacido en Río Negro del Puente (Zamora) hacia 1511. Hijo de Álvaro Pérez de Losada, señor de Río Negro, y de Catalina de Osorio, se sabe que en 1533 esta ya en la isla de Puerto Rico. Participó en diversas expediciones del oriente venezolano y en 1567 fundó Santiago de León de Caracas. Tras aspirar y no alcanzar el cargo de gobernador de Venezuela, se retiró a El Tocuyo, donde falleció en 1569.

Lozano

APELLIDOS RELACIONADOS: Loza, Lozán, Lozana, Losana, Losana.

Etimología

Se quería derivar de loza, del latín *lautia* («ajuar»), y éste a su vez de *lautus*, «suntuoso», y de esta acepción deducir el sentido de «elegante», «vigoroso», de donde se pasó a «valiente» o «soberbio». Algunos han pretendido derivarlo del gótico *flautia*, «presumido», «fanfarrón».

Orígenes

Linaje de las montañas de León, que se remonta a los tiempos del Cid Campeador, aunque el primer caballero conocido es el segoviano Hugo Lozano, secretario del rey Fernando III el Santo, a quien acompañó en la conquista de Sevilla. Otros descendientes fueron caballeros de la orden de Calatrava. En 1539, Carlos I concedió escudo de armas a D. Pedro Lozano, de Tenochtitlán (México).

Armas

En campo de plata, cuatro fajas de azur; bordura de azur, con siete armiños de sable.

Antecesores destacados

CRISTÓBAL LOZANO. Escritor español, nacido en Hellín (Albacete) en 1609. Se ordenó sacerdote y se doctoró en teología. Fue luego párroco de su pueblo natal, procurador fiscal del obispado de Murcia, residió algunos años en Madrid y desde 1664 actuó de capellán de la capilla de los Reyes Nuevos de Toledo. Fue un escritor prolífico, más atento a su labor literaria que a sus obligaciones sacerdotales. Quizá *Los Reyes Nuevos de Toledo* (1667) sea su mejor obra.

Luque

APELLIDOS RELACIONADOS: Lucas, San Lucas, de Lucas, Lugones, Luquín, Luco, Lluc, Lluch.

Etimología

Se ha considerado un derivado del latín *lucus*, «bosque sagrado», nombre de la ciudad de Lugo, o podría derivar de Lucas, nombre de pila usado como apellido, del latín *Lucas*, *Luca* o *Lucae*, y éste a su vez del griego *Loukas*, probable hipocorístico del nombre personal *Loukanós*, que corresponde al latín *Lucanus*, gentilicio de *Lucania*, región de la Magna Grecia.

Orígenes

Apellido andaluz, originario de la villa del mismo nombre en el partido judicial de Baena (Córdoba). Desciende del caballero leonés Alonso de Duque, que acompañó al rey Alfonso XI en la conquista de la villa, conocida por los árabes como Albenzaide.

Armas

En campo de azur, un león rampante de oro y coronado de lo mismo, que lleva en sus manos una estrella de oro.

Antecesores destacados

HERNANDO DE LUQUE. Sacerdote español, nacido en Olvera (Cádiz) a finales del s. XV. En 1514 llegó a Panamá y ejerció de vicario en la ciudad de Panamá, donde conoció a Pizarro, al cual financió la exploración de conquista del Perú. Cuando en 1529 se concedieron las capitulaciones de conquista, fue nombrado obispo de Túmbez y «protector de los indios», pero murió en 1532, antes de participar en el reparto del tesoro de Atahualpa.

Macías

APELLIDOS RELACIONADOS: Matía, Matías, Mateo, Mateos, Mateu, San Mateo, Massià, Masià, Masia, Mateus, Matey, Maté.

Etimología

Variante de Matías, por relajación de la *t*, frecuente en la transición del latín al castellano; nombre del apóstol Mateo, formado a partir del bíblico *Mathias*, del hebrero *Mattitya*, de *mattat*, «don», y *Ya*, abreviación de Yahvé; por tanto, «don de Dios».

Orígenes

De origen gallego, se extendió a Extremadura con la fundación de diversas casas solariegas.

Armas

En campo de gules, seis dados de plata, puestos en dos palos.

Antecesores destacados

MACÍAS EL ENAMORADO. Poeta español, que vivió a finales del s. XIV. De biografía incierta, es posible que naciera en Padrón (La Coruña) entre 1340 y 1370, y que estuviera al servicio de Enrique de Villena, pero más dudoso que muriera en 1414, en la fortaleza de Santa Catalina de Arjonilla (Jaén), a manos de Hernán Pérez de Padilla. Los cancioneros conservan unos veinte poemas suyos, en gallego, en castellano o en un híbrido de ambas lenguas. Se trata de composiciones amorosas breves y muy intelectualizadas.

Madrid

APELLIDOS RELACIONADOS: Lamadrid, de la Madrid, La Madrid,
Madridejos, Madriz.

Etimología

Originario de la capital de España, se ha sugerido que procede del árabe *Mayrit*, que
en el dialecto vulgar equivalía a «acueducto», ya que la ciudad habría sido fundada por
los visigodos junto a un riachuelo.

Orígenes

Apellido castellano, con casa solar primitiva en Torrejón de Velasco (Getafe, Madrid),
en donde se originaron los apellidos compuestos Sanz de Madrid y Fernández de

Madrid, y una de cuyas ramas pasó a Andalucía. Otros lina-
jes se ubican en Caloca, Pesaguero y Potes, en Cantabria.
Francisco de Madrid se casó con Beatriz Galindo, apodada
«la Latina», dama preceptora de Isabel la Católica y desta-
cada por sus amplios conocimientos lingüísticos y huma-
nísticos.

Armas

En campo de azur, un dragón de oro.

Antecesores destacados

ALONSO FERNÁNDEZ DE MADRID. Humanista español (1475-1559), llamado El Arcediano de Alcor. Fue discípulo de fray Hernando de Talavera y canónigo de la catedral
de Palencia. Tradujo del latín una obra de Erasmo y escribió también una *Vida de
fray Hernando de Talavera*, escrita hacia 1530, y una *Silva Palatina*, compilación
de unos anales de la ciudad de Palencia.

Orígenes

Por un lado, se cree que este apellido proviene de Galicia, ya que se encuentra muy extendido por aquella región, pero existen documentos que sitúan su origen en la ciudad de Cuenca, ya que llevaron el apellido unos hermanos que sirvieron en el ejército de los Reyes Católicos. Numerosos descendientes ingresaron en las órdenes militares de Alcántara, Santiago y Carlos III, y en la Real Chancillería de Granada.

Armas

En campo de plata, tres fajas ondeadas de azur.

Antecesores destacados

TOMÁS MARÍN DE POVEDA. Administrador español, nacido en Lúcar (Granada) en 1650. Nombrado gobernador de Chile, envió al ejército que sofocó las sublevaciones indígenas (1693).

Márquez

APELLIDOS RELACIONADOS: Marqués, Marquesa, Lamarca.

Etimología

Variante de Marqués, en forma de falso patronímico, tomado del occitano antiguo *marqués*, título aplicado antiguamente al señor de una *marca* («territorio fronterizo»), palabra derivada a su vez del germánico *mark* («signo», «señal»).

Orígenes

Sus orígenes se encuentran en Neila, partido judicial de Salas de los Infantes (Burgos), y de allí se extendió por la península Ibérica.

Armas

En campo de azur, tres bandas de oro, cargada cada una de una cotiza de gules.

Antecesores destacados

Juan Márquez. Escritor y teólogo madrileño (1565-1621). Ingresó en la orden de San Agustín, fue profesor de teología en la Universidad de Salamanca y predicador de Felipe III. Es autor de *Los dos estados de la espiritual Jerusalén* y *El gobernador cristiano*, donde presenta el prototipo del caudillo cristiano.

Martí

APELLIDOS RELACIONADOS: Martín, Martínez, Martino, San Martín, Sanmartín, Martí, Martinell, Martinet, Santmartí, Martiño, Martins, Machín.

Etimología

Véase **Martín**.

Orígenes

De origen catalán, muy difundido en la región, se extendió a Valencia y Baleares.

Armas

Escudo mantelado: 1°, en campo de gules, una torre redonda de plata; y 2°, en campo de azur, un sol de oro, y el mantel, de plata, con un mar agitado.

Antecesores destacados

Ramón Martí. Apologeta y teólogo catalán, nacido en Subirats (Barcelona) hacia 1230. Ingresó en la orden de predicadores y estudió en París, donde fue discípulo de san Alberto Magno. Desde 1250 fue uno de los colaboradores de san Ramón de Penyafort. Fue destinado a Murcia y, posteriormente, como misionero a Túnez, de donde regresó en 1269. Profundo conocedor de la filosofía árabe, lo que le permitió una amplia obra apologética.

Martín

APELLIDOS RELACIONADOS: Martí, Martínez, Martino, San Martín,
Sanmartín, Martí, Martinell, Martinet, Santmartí, Martiño,
Martins, Machín.

Etimología

Del latín *Martinus*, «consagrado a Marte», dios de la guerra y antigua divinidad solar.
Debe su gran difusión al culto medieval a san Martín Caballero o de Tours. Respecto a
sus variantes, **Martínez**, «hijo de Martín», patronímico; **Martí**, diminutivo, muy frecuente en la provincia de Tarragona; y **Machín**, variante de *Matxin*, forma eusqueriza-
da de *Martín*, nombre usado antiguamente en Vizcaya para referirse a los mozos rústi-
cos y de trabajo, especialmente a los de herrería, por su semejanza con macho.

Orígenes

Apellido oriundo de Francia, muy extendido por toda la
península Ibérica. En 1540, el emperador Carlos I concedió escudo de armas a D. García Martín, conquistador del
Perú.

Armas

En campo de gules, un cordero de plata, con banderilla y cruz,
también de plata, sobre ondas de mar de plata y azur, y sumado de una flor de lis de
oro.

Antecesores destacados

VICENTE MARTÍN Y SOLER. Compositor español (Valencia 1754-San Petersburgo 1806).
Fue organista en Alicante; pasó luego a Madrid y a Italia, donde estrenó con éxito
sus óperas en los mejores teatros y se le conocía con el sobrenombre de Martini lo
Spagnuolo. Viajó luego a Viena, donde prosiguieron sus éxitos y llegó a competir
con el propio Mozart. Fue a San Petersburgo, donde falleció, para dirigir la ópera
italiana. Sus óperas más importantes son *La reina de Golconda, Astartea* y *Una cosa rara, o sea belleza y honestidad.*

Martínez

Etimología

Patronímico de Martín, uno de los más difundidos en la península Ibérica. Véase **Martín**.

Orígenes

Apellido patronímico, por lo que las distintas y numerosas casas solariegas no guardan relación entre sí. Las más primitivas son las de Asturias y Galicia, pero también existen escudos de armas en Vizcaya, Castilla, Aragón, Navarra... Los primeros registros documentados mencionan a Esteban Martínez, nacido en Aibar en 1586. Varios descendientes probaron nobleza en órdenes militares, en las Reales Chancillerías de Valladolid y Granada, en la Real Audiencia de Oviedo y en la Real Compañía de Guardias Marinas.

Armas

En campo de plata, tres flores de lis de gules; partido de sable con dos fajas de plata.

Antecesores destacados

DOMINGO MARTÍNEZ DE IRALA. Conquistador español, nacido en Vergara en 1509. En 1535 marchó a Sevilla, donde se alistó en la expedición del adelantado de Río de la Plata, Pedro de Mendoza, fundador de Buenos Aires. En 1540, Álvar Núñez Cabeza de Vaca lo envió con una expedición que se internó en el Chaco, fundó la ciudad de los Reyes y llegó a las estribaciones del alto Perú. En 1552, el rey lo designó gobernador de Río de la Plata, donde falleció cuatro años más tarde.

FRANCISCO MARTÍNEZ DE LA ROSA. Político y literato español (Granada 1787-Madrid 1862). Graduado en leyes, se incorporó a las tareas legislativas de las Cortes de Cádiz, donde destacó por sus intervenciones en los debates sobre enseñanza, que sentaron las bases de un sistema educacional moderno. En 1834 publicó *La conju-*

ración de Venecia, que constituiría una de las primeras manifestaciones del drama romántico español.

Mateu

APELLIDOS RELACIONADOS: Matía, Matías, Mateo, Mateos, San Mateo, Macías, Massià, Masià, Masia, Mateus, Matey, Maté.

Etimología

Véase **Macías**.

Orígenes

Apellido oriundo del ducado de Borgoña, pero muy extendido por toda la península Ibérica, ya que se cuentan casas solares en Castilla, Aragón, Cataluña, Valencia, Navarra y Baleares.

Mosén Jaume Fabrer, cronista de Mallorca, destaca en sus escritos a Jacques Mateu, caballero francés que vino a España a servir al rey Jaime I, con el que contribuyó a la conquista de Mallorca y se distinguió notablemente en sus victorias personales contra los árabes. También participó en la conquista de Valencia y fue hecho prisionero en la acción de Sallana-Sueca, aunque logró huir. Por ello, el rey le otorgó dinero y hacienda. Algunos descendientes ingresaron en las órdenes de Montesa, Calatrava y Santiago.

Armas

En campo de azur, una faja jaquelada en dos órdenes de oro y sable, y acompañada de tres estrellas de oro, dos arriba y una abajo.

Antecesores destacados

FRANCESC MATHEU I FORNELLS. Poeta catalán (Barcelona, 1853-1938), que se dio a conocer en los Juegos Florales de 1872. Inició la publicación del *Anuari català* e intervino en la fundación de la revista *La renaixença*. Su poesía, influida por el romanticismo de Heine, canta a la hermandad entre los pueblos de lengua catalana.

Mayoral

APELLIDOS RELACIONADOS: Mayor, Mayoralgo, Mayorala, Mayorales, Majoral, Majó, Major, Maior, Maioral.

Etimología

En el lenguaje notarial del reino franco, visigodo y carolingio, *maior* define al superintendente o empleado de más alto rango de un cortijo o hacienda. *Maior*, de *maior villae*, es el comparativo de *magnus*, es decir, «el más grande», y por tanto, del castellano *mayor* viene **Mayoral**, «capataz de una cuadrilla de obreros», «pastor principal que cuida los rebaños o las cabañas» y también «criado principal, con potestad sobre los demás, que lleva el gobierno de una hacienda». Véase también **Merino**.

Orígenes

Existe casa solar en Azpeitia (Guipúzcoa). Un caballero con este apellido participó en la conquista de Baeza y de él quedó una rama en Andalucía, con casa solar en Ziga (Jaén). Diversos descendientes han destacado en actividades de carácter científico.

Armas

En campo de gules, una culebrina, de oro, puesta en faja.

Antecesores destacados

ANDRÉS MAYORAL. Prelado español (Molacillos 1685-Valencia 1769). Fue colegial en Alcalá de Henares, penitenciario de León, obispo de Ceuta y arzobispo de Valencia. Se distinguió por costear varias obras, como la iglesia de su pueblo natal y otras realizadas en el palacio arzobispal y en la catedral de Valencia, además de fundar una biblioteca pública en esta ciudad.

Mendoza

APELLIDOS RELACIONADOS: Mendoça, Mendonça. Mendi, Mendía, Mendizábal, Mendíbil, Mendiburu, Mendieta, Mendiluce.

Etimología

De *mendi*, «montaña», radical muy frecuente en la toponimia vasca, forma derivada del latín *mons, montis*; se acompaña de la desinencia *–oz*, de significado desconocido, y que algunos han querido relacionar con *otz*, «frío». Respecto a sus variantes, **Mendía**, con el artículo *–a*, «la montaña»; **Mendíbil**, con *bil*, «monte redondo»; **Mendiburu**, con *buru* («cabeza»), «parte alta del monte»; **Mendieta**, con el sufijo locativo *–eta*, «lugar de montes»; **Mendiluce**, con *luze*, «monte alto»; y **Mendizábal**, con *zabal* («espacioso»), «monte ancho».

Orígenes

Apellido castellano de gran nobleza y muy antiguo. Los descendientes recogen el primitivo señorío soberano de Vizcaya, heredados con los de Llodio, en tierra alavesa. Los Mendoza prosperaron al calor del establecimiento de la dinastía de los Trastámaras, a la que sirvieron con gran fidelidad. Consiguieron títulos del reino, fueron príncipes, nobles o grandes señores y, buena parte de ellos, destacados militares y prohombres de estado: Íñigo López de Mendoza, marqués de Santillana; el cardenal Mendoza, preceptor real; Ana de Mendoza y de La Cerda, princesa de Éboli... El prestigio de la familia alcanzó su cumbre en la época de los Reyes Católicos, al obtener de éstos el título de duques del Infantado. Los Mendoza entroncaron con las más famosas casas españolas: Monteagudo, Almazán, Castrogeriz, Francavilla, Mondéjar, Cañete, Tendilla, Coruña, Saldaña, Manzanares, Mélito, entre otras. El núcleo básico de su patrimonio se situó posteriormente en la vertiente meridional del Sistema Central, en la zona de Guadalajara.

Armas

Escudo cuartelado en sotuer: 1º y 4º, en campo de gules, una banda de sinople, perfilada de oro, y 2º y 3º, en campo de oro, la salutación angélica «Ave Maria gratia plena», en letras de azur.

Antecesores destacados

PEDRO GONZÁLEZ DE MENDOZA. Político y eclesiástico español, natural de Guadalajara (1428-1495), quinto hijo del marqués de Santillana. Se educó en Toledo y Salamanca y entró luego en la corte de Juan II, donde adquirió un gran prestigio y fue nombrado obispo de Calahorra. A la muerte de su padre se convirtió en la cabeza efectiva de su familia, que emparentó con las más ricas estirpes castellanas. A partir de 1472 fue conocido como «el cardenal de España». Enrique IV lo nombró canciller mayor del sello, cargo que le confería el mayor poder político de Castilla. Por su espíritu renacentista, no se adaptó a los cánones de reforma del clero, y él mismo tuvo tres hijos.

PEDRO DE MENDOZA. Capitán y conquistador nacido en Guadix (Granada) hacia 1487. Tras ocupar diversos cargos en la corte de Carlos V, fue nombrado adelantado de Río de la Plata para poblar el territorio y neutralizar los avances portugueses desde Brasil. Fundó Nuestra Señora de Santa María del Buen Aire y Corpus Christi, e intentó abrir una vía de comunicación con Perú. Falleció durante la travesía de retorno a la península Ibérica en 1537.

Menéndez

APELLIDOS RELACIONADOS: Méndez, Mendo, Meléndez, Melendo, Méndiz, Mendes, Melendres, Hermenegildo, San Hermenegildo, Amengual, Mengual, Ermengol, Armengol, Armengou, Armengué.

Etimología

Patronímico de Mendo, Menendo o Melendo, nombre de pila usado como apellido. Constituye una evolución de Hermenegildo, del gótico *Airamanagild*, que a su vez se ha hecho derivar de *airmana* («ganado») y *gilds* («valor»), «el que vale por su ganado», pero también se ha hecho derivar de *Irmin* o *Ermin*, «grande», «poderoso», epíteto del dios celeste *Ziu*. El nombre dio lugar a una tribu germana, los ermiones o hermiones, mencionados por Tácito (s. I). En bajo latín dio la variante *Mene(gi)ndus*, que luego se contrae en *Menendus* y en *Mendus*. Respecto a sus variantes, **Armengou, Armengol, Ermengol, Amengual** y **Mengual** constituyen formas catalanas derivadas del germánico *Ermingaud*, de *Ermin* y *Gaud*, dos divinidades germánicas; y **Armengué**, derivado de *Erminger*, «la lanza del dios Ermin».

Orígenes

Apellido de origen asturiano, extendido por todo el principado, con solar fundacional en Avilés. Gonzalo Méndez fue el iniciador de la estirpe, ricohombre asturiano, hermano de la reina doña Elvira, esposa de Alfonso V, e hijo de los condes de Galicia, señores de la comarca del Bierzo. Esta estirpe siguió con Menén González Méndez, también llamado Menéndez, ricohombre del rey Alfonso VI. Fernán Méndez González, señor de Luarca y ricohombre de Alfonso VII, obtuvo por entronque el señorío de Astorga en 1122. Se establecieron otras casas solariegas en Gijón, Pravia, Quirós y Cangas de Tineo, y posteriormente en América.

Armas

En campo de plata, tres fajas de azur; bordura de dieciséis piezas, ocho de plata con una rosa de gules y ocho de azur.

Antecesores destacados

MARCELINO MENÉNDEZ PELAYO. Erudito cántabro (1856-1912), nacido en Santander. Tras licenciarse en Barcelona, se doctoró en Madrid y, tras viajar pensionado por varios países europeos, obtuvo una cátedra en la Universidad Central en ingresó en la Real Academia Española (1881) y en la de Historia. Desde 1898 fue director de la Biblioteca Nacional. Junto al contenido histórico-político de su obra, no es desdeñable su criterio literario, que abarca todos los campos de la cultura: *La ciencia española, Orígenes de la novela...*

Merino

APELLIDOS RELACIONADOS: Merín, Merina, Merinero.

Etimología

Del latín *maiorinus*, «algo mayor», aplicado al «juez puesto por el rey en un territorio en donde tenía jurisdicción amplia». Véase también **Mayoral**.

Orígenes

Apellido castellano, extendido por toda la península Ibérica. Una rama se afincó en Vizcaya.

Armas

Escudo partido: 1°, en campo de sinople, una banda de oro, engolada en dragantes de lo mismo y acompañada de dos estrellas de oro, una a cada lado; y 2°, en campo de gules, un castillo de oro, aclarado de azur y puesto sobre ondas de agua de azur y plata.

Antecesores destacados

BALTASAR MERINO. Botánico y jesuita español, nacido en Lerma en 1845. Fue catedrático en La Habana y profesor en un colegio de Maryland. Presidente de la Sociedad Aragonesa de Ciencias Naturales y de la Academia Internacional de Geografía Botánica, es autor de *Flora descriptiva e ilustrada de Galicia* (1905-1909). Falleció en Vigo en 1917.

Miguel

APELLIDOS RELACIONADOS: Miguélez, Miguela, Míguez, San Miguel, Sanmiguel, de Miguel, Miquel, Miquelet, Sanmiquel, Michel, Mikel, Michelena, Miquelena, Migueis.

Etimología

Nombre de uno de los siete arcángeles, derivado del hebreo *mi-ka-el*, «¿quién como Dios?» o «Dios es incomparable». Respecto a sus variantes, **Michelena** y **Miquelena**, «la casa de Miguel».

Orígenes

Apellido extendido por toda la península Ibérica. El fundador de la casa solar fue el caballero gallego Lope Migueis o Miguel, alférez mayor de la gente de armas del conde Fernando Pérez de Traba, quien tomó parte en la conquista de Almería, tras la cual adoptó el apellido al haber sido favorecido por san Miguel, a cuyo santo se había encomendado. Algunos de sus descendientes pasaron a Navarra, Cataluña, Valencia y Castilla, y también a Portugal y Francia. La nobleza de este apellido se reconoció en la Real Audiencia de Pamplona y en el capítulo de la orden de Carlos III.

Armas

En campo de oro, tres flores de lis de gules, bien ordenadas.

Antecesores destacados

EVARISTO SAN MIGUEL Y VALLEDOR, DUQUE DE SAN MIGUEL. Militar y político español (Gijón 1785-Madrid 1862). En 1820 se sumó al levantamiento constitucional de Cabezas de San Juan y escribió la letra del himno de Riego. Desempeñó la capitanía general de Aragón y, como miembro del Partido Progresista, intervino en diversos ministerios de Espartero. Tras retirarse de la vida pública, escribió su *Historia de Felipe II*, que le valió su ingreso en la Academia de la Historia (1844). La reina Isabel II lo nombró capitán general, duque de San Miguel y grande de España.

Millán

APELLIDOS RELACIONADOS: Emilio, Emiliano, Millano, Millana, Milano, Milanés, Millà, Milà, Milans.

Etimología

Derivado de Emiliano, muy popular en la Edad Media, del latín *Aemilianus*, gentilicio de *Emilio*. Se ha querido identificar con el griego *aimylios*, «amable», «generoso», aunque algún caso podría derivar de *milano*, del latín vulgar *milanus*, y éste a su vez de *miluus* («milano», «ave de presa»), figuradamente «hombre rapaz».

Orígenes

Apellido aragonés, del cual se han establecido dos casas solariegas principales, en Magallón y en Jaca. La primera fue fundada por el infanzón Adán Millán. Sus descen-

dientes fueron miembros de distintas órdenes militares y probaron su infanzonía ante la Real Audiencia de Zaragoza.

Armas

En campo de gules, un león rampante, de oro, con dos ruedas de carro del mismo metal, una en cada mano y pendientes de una cinta de oro; bordura jaquelada de dos órdenes, de plata y azur.

Antecesores destacados

PEDRO MILLÁN. Escultor de actividad documentada en Sevilla entre 1487 y 1507. Su estilo deriva del de Lorenzo Mercadante de Bretaña y, como éste, practicó también la escultura en barro cocido. Entre sus obras destacan la *Virgen del Pilar* de la catedral de Sevilla, y el medallón de los *Santos Cosme y Damián,* en la iglesia de Santa Paula.

Miranda

Etimología

Del latín *mirari*, «admirar», «asombrarse», topónimo frecuente en España y aplicado a lugares cuya posición permitía una vista considerable.

Orígenes

Apellido asturiano, de origen antiquísimo, que luego pasó a Galicia, Navarra, País Vasco, América... Diversas casas solariegas se disputan la primacía, como las de Mondoñedo, Oca, Guipúzcoa y Oviedo, que parece la más antigua. Este linaje asturiano se sumó a los primeros monarcas de la Reconquista, destacando el caballero Obón de Miranda, que acompañó al rey D. Rodrigo en la batalla de Guadalete y a D. Pelayo en la batalla de Covadonga. De Pedro de Miranda, que fundó en Belmonte (Asturias) un convento de la orden del Císter, descienden los marqueses de Valdecorzana.

Armas

En campo de gules, cinco bustos de doncella más cinco veneras de plata, puestas en cruz; por orla, dos sierpes de sinople, con las cabezas y las colas cruzadas.

Antecesores destacados

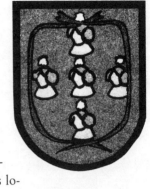

LUIS DE MIRANDA. Dramaturgo español del s. XVI. En unos versos del mismo autor se consignan los pocos datos conocidos de su vida: nacido en Plasencia, fue soldado durante un año y, después, clérigo. De él se conserva la *Comedia pródiga*.

FRANCISCO DE MIRANDA. Prócer de la independencia venezolana (1750-1816). Afecto a la masonería, en la que alcanzó un alto rango, recurrió al apoyo de las principales logias europeas para organizar la revolución en las colonias de Hispanoamérica. Tras la revolución de Bolívar en 1810, no pudo sofocar el ataque español contra la república y fue trasladado en 1813 al arsenal de San Fernando (Cádiz), en donde murió.

Molina

APELLIDOS RELACIONADOS: Molino, Molinas, Molinero, Moliner, Molinar, Moliné, Molner, Monner, Munné, Muela, Muelas, Mola, Molas, Molero.

Etimología

Del latín *molinum*, derivado de *molere*, «moler».

Orígenes

Apellido extendido por toda la península Ibérica, cuyos descendientes participaron en casi todos los hechos heroicos de la Reconquista. Su fundador fue el infante D. Alfonso, hijo del rey de León, Alfonso IX, y de D.ª Berenguela; tomó el apellido Molina tras desposar a D.ª Mafalda Pérez y heredar, con ello, el señorío del mismo nombre. El linaje pasó a las Antillas y una rama se estableció en Santo Domingo. En 1565, el rey Felipe II concedió un escudo de armas a D. Bartolomé de Molina, natural de Santiago de Guatemala.

Armas

En campo de azur, una torre de plata y, a su pie, media rueda de molino, del mismo

metal, acompañado de tres flores de lis de oro, una en jefe y otra a cada lado de la torre; bordura de gules, con ocho aspas de oro.

Antecesores destacados

CRISTÓBAL DE MOLINA. Sacerdote y cronista de Indias español, de la primera mitad del s. XVI, nacido en Leganiel, cerca de Huete. Se le conoce como el Almagrista porque acompañó a Almagro en su expedición a Chile (1535-1536) y desempeñó el cargo de vicario general de Santiago.

LUIS DE MOLINA. Teólogo español (Cuenca 1535-Madrid 1601). Ingresó en la Compañía de Jesús y enseñó en las universidades de Coimbra y Évora. En 1600 fue llamado a Madrid para enseñar moral en el colegio imperial de la corte. La exposición de sus doctrinas, el molinismo, se encuentra en una obra de 1588.

Montero

APELLIDOS RELACIONADOS: Monte, Montes, Móntez, del Monte, Montano, Montanés, Montáñez, Monteiro, Montesino, Montesinos, Montesa, Momparlet, Mondéjar, Montejo, Montijo, Montalbán, Monts, Mons, Mombrú, Mumbrú, Muntada, Muntadas, Monreal, Montllor, Montaner, Muntaner, Montiel, Montilla, Mondragón.

Etimología

Véase **Montes**.

Orígenes

Apellido castellano, que se extendió por toda la península Ibérica y llegó a América. En 1540, el emperador Carlos I concedió un escudo de armas a D. Diego de Montero, vecino de Antequera (México).

Armas

En campo de gules, tres bocinas de plata, bien ordenadas.

Antecesores destacados

EUGENIO MONTERO RÍOS. Político español (Santiago de Compostela 1832-Madrid 1914). Comenzó a militar en el progresismo en 1869 y fue ministro de Gracia y Justicia con Prim. Fue vicerrector de la Institución Libre de Enseñanza. En 1898 era presidente del senado y debió negociar el tratado de paz con Estados Unidos, y en 1905 presidió el gobierno durante unos meses.

Montes

APELLIDOS RELACIONADOS: Monte, Móntez, del Monte, Montero, Montano, Montanés, Montáñez, Monteiro, Montesino, Montesinos, Montesa, Momparlet, Mondéjar, Montejo, Montijo, Montalbán, Monts, Mons, Mombrú, Mumbrú, Muntada, Muntadas, Monreal, Montllor, Montaner, Muntaner, Montiel, Montilla, Mondragón.

Etimología

Del latín *mons*, *montis*, «monte», «montaña», con numerosas formas y compuestos. Respecto a sus variantes, **Montano** y **Montañés**, del latín *montanus*, «montañés»; **Mon**, apócope de monte; **Mondragón**, «monte del dragón»; **Montalbán**, «monte blanco»; **Montaner** y **Muntaner**, del latín vulgar *montanarius*, «guardián de montañas»; **Monreal**, «monte real»; **Montejo** y **Montijo**, del latín *monticulu*, «montecillo»; **Montesino** y **Montesinos**, figuradamente «agreste», «huraño», resultado romance de un derivado de *mons, montis* con sufijo –*ensis*; **Montiel** y **Montilla**, del latín *montellu*, diminutivo; **Montllor**, del latín *monte lauri*, «monte del laurel»; **Mombrú** y **Mumbrú**, «montaña oscura»; y **Montáñez**, falso patronímico.

Orígenes

Apellido castellano, muy extendido por toda la península Ibérica y con casas solares en Galicia, Granada...

Armas

En campo de plata, dos lobos pasantes de sable, puestos en palo. Bordura de gules con ocho aspas de oro.

Antecesores destacados

MANUEL MONTES DE OCA. Marino y político español, nacido en Medina-Sidonia en 1804. De ideas moderadas, fue ministro de Marina, Comercio y Gobernación de Ultramar en 1839. Fracasó en el levantamiento de Vascongadas de 1841 y fue fusilado.

Mora

APELLIDOS RELACIONADOS: Moral, del Moral, Morales, Morera, Moreira, Morer, Moré, Moraleda.

Etimología

Del latín *morum* («fruto del moral», «de color morado»), a su vez del griego *moroon*, aunque también podría derivar del latín *maurus* («moro», «habitante de Mauritania»). Véase también **Moreno**.

Orígenes

Apellido originario de Cataluña, aunque existen diversas casas solares sin relación de linaje entre ellas. El apellido se extendió a Baleares, Valencia y Castilla.

Armas

En campo de oro, un castillo de gules, aclarado de azur, diestrado de un moral, y éste, surmontado de un ciervo natural.

Antecesores destacados

FRANCISCO DE MORA. Arquitecto español, nacido en Cuenca hacia 1553. Fue ayudante principal de Juan de Herrera, al servicio de Felipe II, quien le nombró maestro de los reales palacios de Madrid y del Pardo. Su obra de mayor envergadura, realizada por encargo del duque de Lerma, valido de Felipe III, es el conjunto monumental de Lerma.

Morales

APELLIDOS RELACIONADOS: Mora, Moral, del Moral, Morera, Moreira, Morer, Moré, Moraleda.

Etimología

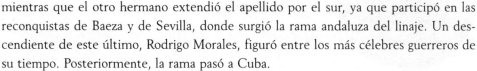

Véase **Mora**.

Orígenes

Dos caballeros hermanos, Alfonso y Juan Morales, en el s. XI, fundaron casa solar en las montañas de Burgos, en la merindad de Trasmiera. La rama pasó luego a Soria gracias a Alonso, que fue tronco de los Morales castellanos, mientras que el otro hermano extendió el apellido por el sur, ya que participó en las reconquistas de Baeza y de Sevilla, donde surgió la rama andaluza del linaje. Un descendiente de este último, Rodrigo Morales, figuró entre los más célebres guerreros de su tiempo. Posteriormente, la rama pasó a Cuba.

Armas

Escudo cuartelado: 1º y 4º, en campo de plata, tres bandas de sable; y 2º y 3º, en campo de plata, un moral de sinople.

Antecesores destacados

ANDRÉS DE MORALES. Navegante y cartógrafo andaluz, nacido en 1477. Acompañó a Colón en el tercero de sus viajes (1498) y se estableció en las Antillas, donde realizó notables trabajos cartográficos. También investigó sobre las corrientes del Atlántico. El cardenal Cisneros le nombró piloto de la Casa de Contratación (1516).

VIDAL MORALES Y MORALES. Historiador y erudito cubano (1848-1904). Fundó el *Boletín del Archivo Nacional* y se consagró a la investigación histórica y a la erudición bibliográfica: *Iniciadores y primeros mártires de la revolución cubana, Hombres del 68: Rafael Morales y González...*

Moreno

APELLIDOS RELACIONADOS: Moro, Moros, Moreño, Moreña, Morente, Morento, Morentín, Moriente, Morientes, Morell, Mouro.

Etimología

Del latín *maurus*, «moro», «habitante de Mauritania». Por comparación a la tez oscura de los mauritanos, pasó a aplicarse a los caballos negros u oscuros, y desde el s. XVI, parece que fue un mote genérico para andaluces, levantinos y extremeños, por su tez más oscura que la de celtíberos y vascos. Desde el s. XIV está documentado su uso como apelativo. Respecto a sus variantes, **Morente**, **Moriente** y **Morientes**, de *Maurentius*, a su vez derivado de *maurus*; **Morentín**, topónimo navarro quizá derivado del antropónimo *Morent*– y el sufijo de propiedad –*in*. Véase también **Mora**.

Orígenes

Apellido castellano muy antiguo, se cree que desciende del caballero romano Lucio Murena. Las casas solares más antiguas se ubicaron en Santander, La Rioja y Galicia, y luego se extendieron al centro y sur de la península Ibérica. En 1538, Carlos I concedió escudo de armas a D. Pedro Moreno, vecino de Veracruz (México).

Armas

En campo de oro, una torre de gules, y salientes del homenaje, dos águilas de sable volantes. Bordura de gules con ocho aspas de oro.

Antecesores destacados

JUAN JOAQUÍN MORENO. Marino español (Ceuta 1735-Cádiz 1812). Tras participar en el bombardeo de Argel y en el bloqueo de Gibraltar, fue nombrado jefe de la escuadra de El Ferrol (1799). Defendió Cádiz durante la batalla de Trafalgar y en 1808 fue nombrado consejero de Guerra y Marina.

FEDERICO MORENO TORROBA. Compositor español, nacido en Madrid en 1891. En los comienzos de su carrera escribió obras sinfónicas, pero muy pronto se dedicó exclusivamente a la música teatral. En 1926 fue nombrado director del Teatro de la Zarzuela. Es autor de las zarzuelas *Luisa Fernanda* y *Azabache*.

Mosquera

APELLIDOS RELACIONADOS: Mosqueroles, Moscarolas, Mascaroles.

Etimología

Del latín *muscaria*, «musgoso», derivado de *muscus*, «musgo», en el sentido que se le da en Aragón, donde se aplica al lugar a la sombra en que el ganado sestea para protegerse del sol y de las moscas.

Orígenes

Apellido gallego, con casa solar en Meper-Montaostina, que se extendió por la península Ibérica y una rama llegó a Andalucía. La rama de Soria fue la más ilustre y la que dio más grandes caballeros, entroncando con los otros linajes que fueron a poblar dicha ciudad. El apellido probó su nobleza en las órdenes de Calatrava (1540), Alcántara (1638) y Santiago (1717). Una rama se estableció en Popayán (Colombia) a partir del s. XVII, inaugurando una estirpe propietaria de minas y de estancias ganaderas.

Armas

En campo de azur, cinco moscas de oro, puestas en sotuer.

Antecesores destacados

JOAQUÍN MOSQUERA. Político colombiano (Popayán 1787-Bogotá 1877), perteneciente a la estirpe colombiana de los Mosquera. Participó en la formación de la junta revolucionaria y luchó en el ejército patriota. Tras desempeñar funciones diplomáticas en Perú, Chile y Argentina, formó parte del consejo de gobierno de Bolívar. Elegido presidente de la república en 1830, dimitió poco después a raíz de la revolución de Urdaneta.

Moya

APELLIDOS RELACIONADOS: Moyas, Moyo, Moia, Moja, Moll, Mollà.

Etimología

Derivado del nombre de pila *Modianus* o bien de *modius*, «moyo», medida de capacidad castellana que se usa en vinos, y también en Galicia para áridos, de ahí su extensión a una superficie de tierra y a su empleo como topónimo.

Orígenes

Apellido gallego, originado a partir del caballero Álvaro Mariño, quien participó en la toma de Moya (Cuenca) en el año 830. Una de las ramas pasó a Cataluña a principios del s. XIII, y después a ambas Castillas, Murcia y América.

Armas

En campo de gules, una escalera de oro; partido de veros de azur y plata.

Antecesores destacados

PEDRO DE MOYA. Pintor granadino (1610-1666). Según parece, fue discípulo de Van Dyck, a quien habría seguido a Londres, y cuya influencia aportó a la pintura andaluza. Actualmente sólo se conoce con seguridad una obra suya, *Santa María Magdalena de Pazzis*.

PEDRO MOYA DE CONTRERAS. Religioso y administrador español del s. XVI. Tras ejercer el cargo de inquisidor en Murcia, pasó a México en 1571 para instaurar el tribunal del Santo Oficio. Regresó a España en 1589 y dos años más tarde obtuvo la presidencia del Consejo de Indias durante el reinado de Felipe II.

Muñoz

APELLIDOS RELACIONADOS: Muñiz, Muñón, Munioz, Munza.

Etimología

Quizá patronímico de Muño, del nombre medieval *Munio*, aunque también el sufijo
–oz puede ser equivalente al vasco *(h)otz*, «frío», acompañando al radical *muno, muño*,
«colina», para significar «altozano». Respecto a sus variantes, **Muñiz**, de *muño-itz*, «alto
del otero»; y **Munza**, «lugar de colinas».

Orígenes

Algunos tratadistas creen que el apellido desciende del
cónsul romano Lucio Munio, cuya familia fue el origen de
los Muñoz españoles. El procónsul Publio Munio participó en la conquista de las Islas Británicas y fundó casa en
Escocia. Uno de sus descendientes vino a España a luchar
contra los árabes en Aragón, en el antiguo reino de Sobrarbe,
y allí erigió su casa solar con el nombre españolizado Muñor o
Munior, que devino en Muñoz. Otra teoría fija su origen en el conde Muñón Rodríguez,
en el s. VIII, que tomó parte en las batallas de la Reconquista. Convertido en Muñoz, el
apellido se extendió por la península Ibérica a medida que se conquistaban tierras a los
árabes. Muchos descendientes ingresaron en órdenes militares, como las de Calatrava,
Santiago, Alcántara, Carlos III y San Juan de Jerusalén.

Armas

Escudo cuartelado: 1º y 4º, en campo de oro, una cruz floreteada de gules; y 2º y 3º,
en campo de oro, tres fajas de gules.

Antecesores destacados

GIL SÁNCHEZ MUÑOZ. Nacido en Teruel hacia 1380, fue antipapa con el nombre de
    Clemente VIII. Canónigo de Barcelona, en 1423 fue elegido por algunos cardena-
    les sucesor del antipapa Benedicto XIII. Se estableció en Peñíscola y abandonó sus
    pretensiones en 1429. Falleció en Mallorca en 1446.

JERÓNIMO MUÑOZ. Astrónomo español del s. XVI, nacido en Valencia. Fue profesor en esta ciudad y en Salamanca. Realizó observaciones en Murcia y escribió un tratado astronómico en 1572 que fue elogiado por Tycho Brahe.

Navarro

APELLIDOS RELACIONADOS: Nabarre, Nabarro, Naharro, Nafarro, Nabarrés, Nabarrete, Navarrete.

Etimología

Gentilicio de la región de Navarra, sin etimología claramente definida, quizá derivado de *naba* («gran llanura entre montañas», «vertiente») junto con *erri* («tierra», «región»), aunque diversos estudiosos han rechazado esta interpretación por no ajustarse a la realidad geográfica que describe. Respecto a sus variantes, **Nabarrete** y **Navarrete**, quizá derivado de *nabar*, «pardo», y *at(h)e*, «paso», «puerto de montaña».

Orígenes

Apellido aragonés, de Ejea de los Caballeros, población fundada por los romanos. Al parecer, Navarro fue en principio su sobrenombre, y uno de los que adoptó el apodo como apellido fue el caballero Sancho Gracia, oriundo de Navarra, pero establecido en Ejea. Sus primeros descendientes tomaron parte en la Reconquista y en conflictos bélicos posteriores, como la guerra contra Francia en tiempos de Francisco I, campañas de Italia, expediciones a América... Muchos de sus descendientes fueron militares que probaron nobleza en distintas órdenes, como Alcántara y Calatrava. Pueden encontrarse escudos de armas correspondientes a este apellido en el valle de Roncal, Pego, Planes, Huesca, Borja, Bulbuente, Teruel, Murcia, Argamasilla, Lorca, Vera, Granada, Palencia...

Armas

En campo de azur, dos lobos de oro; bordura de gules, con ocho aspas de oro.

Antecesores destacados

PEDRO NAVARRO. Militar e ingeniero español, nacido en Garde (Navarra) en 1460 y considerado el inventor o perfeccionador de las minas militares. De 1500 a 1507 luchó junto a Fernández de Córdoba en Italia, donde desarrolló su táctica militar. Murió, quizás asesinado, en la fortaleza de Castelnuovo (Nápoles) en 1528.

JUAN JOSÉ NAVARRO, MARQUÉS DE LA VICTORIA. Marino español, aunque nacido en Messina (Italia) en 1687. Intervino en la guerra de Sucesión en favor de Felipe V. Una victoria ante la armada británica, en las islas Hyères, le valió el título de marqués y el cargo de teniente general de la marina.

Nieto

APELLIDOS RELACIONADOS: Nieta, Nietos, Nét, Neto, Oneto.

Etimología

Del latín *nepos, nepotis*, «hijo del hijo», aunque en un principio también tenía el significado de «hijo del hermano» (sobrino), pero el castellano lo distinguió conservando *sobrinus, sobrini*. Respecto a sus variantes, **Oneto**, del gallego *o neto*, «el nieto».

Orígenes

Apellido oriundo de las montañas leonesas, desde donde se extendió por toda la península Ibérica.

Armas

Escudo partido: 1º, de gules, y 2º, de azur. Brochante sobre el todo, un león de oro, y colocadas en orla, cuatro flores de lis de plata alternando con cuatro hojas de higuera.

Antecesores destacados

MANUEL NIETO. Compositor español, nacido en Reus (Tarragona) en 1844. Colaboró con Fernández Caballero y Jerónimo Jiménez, y compuso numerosas zarzuelas. Sus mayores éxitos fueron *Te espero en Eslava tomando café* y *Certamen nacional*.

Núñez

Etimología

Patronímico del nombre personal Nuño, frecuente en Castilla durante la Edad Media. Parece una deformación de *nonnius*, «monje», o de *Nonius*, «el noveno (hijo)».

Orígenes

n Apellido patronímico, con numerosas casas solares sin relación de linaje entre ellas. El apellido se extendió por toda España y Portugal (bajo la forma Nunes), y diversas ramas pasaron al continente americano. De todos modos, una de las casas solares parece tener más antigüedad, la que se halla en las montañas de León, de la cual procede directamente la rama establecida en México. Así, en 1541, el emperador Carlos I concedió escudo de armas a D. Andrés Núñez, vecino de Tenochtitlán (México), y en 1535, a D. Jerónimo Núñez, vecino de Perú y conquistador de Nicaragua.

Armas

En campo de gules, una banda de plata, acompañada en lo alto de un león de oro rampante, y en lo bajo, de un tao de san Antón, de azur.

Antecesores destacados

VASCO NÚÑEZ DE BALBOA. Descubridor español, nacido en Jerez de los Caballeros en 1475. Era de familia de origen gallego y noble, aunque venida a menos, ya que se le supone hijo del hidalgo Nuño Arias de Balboa y de una dama de Badajoz. En 1501 partió para el Nuevo Mundo, en la expedición que recorrió las costas de la actual Colombia. Fundó Santa María de la Antigua del Darién, primer establecimiento permanente en tierras continentales americanas, desde donde fue explorando el istmo de Panamá.

PEDRO NUNES. Pintor portugués, de actividad documentada en Cataluña desde 1513 hasta 1554. Su estilo deriva de los manieristas neerlandeses, combinado con ciertos influjos italianos. Fue el pintor más notable establecido en Barcelona en aquella época, del cual se conservan varios retablos.

Obregón

APELLIDOS RELACIONADOS: Obrador, Obrero, Obreros.

Etimología

Del bable *obriga*, «carnicería», derivado de *obra*, con desinencia aumentativa *–on*. Respecto a sus variantes, **Obrador**, **Obrero** y **Obreros**, del latín *operator, operatoris*, derivado a su vez del verbo *operari* («obrar»), y éste a su vez de *opus, operis* («obra», «trabajo»).

Orígenes

Su casa solar se halla en Galicia, concretamente en Vega del Cayón, y cuyo señor tenía derecho a yantares sobre la abadía de Rueda. La tradición cuenta que habiéndose negado uno de los abades a pagar tal derecho, le fue cortada la mano diestra, que desde entonces figura en el escudo de armas. Otros tratadistas indican que la casa solar primitiva se hallaba en Pie de Concha (Torrelavega, Cantabria), extendiéndose posteriormente a Galicia, Asturias, Murcia y América.

Armas

En campo de sinople, una rueda de carro, de oro, surmontada de una mano de plata, cortada y destilando sangre.

Antecesores destacados

BERNARDINO OBREGÓN. Religioso español (Las Huelgas 1540-Madrid 1599). Soldado y terciario franciscano, en 1568 fundó la congregación hospitalaria Hermanos de Obregón, con centro en el hospital de Madrid. En el s. XVII tuvieron gran difusión, pero desaparecieron a fines del s. XVIII.

Ordóñez

Etimología

Patronímico de Ordoño, considerado como variante de Fortún, del latín *Fortunius* («afortunado»), a su vez derivado de *fortuna* («fortuna», «suerte»). Los defensores de una etimología germánica lo derivan de *ort-huni*, «espada del gigante», e incluso otros,

del céltico *ordo*, «martillo», ya que como nombre de lugar está bien extendido en la toponimia prerromana del norte de Francia. Respecto a sus variantes, **Fortuny** sería la forma catalana equivalente al Ordoño castellano. Véase también **Ortiz**.

Orígenes

Apellido castellano, de Zamora, procedente del infante D. Ordoño, hijo natural del rey Bermudo II. Posteriormente se extendió a Asturias.

Armas

En campo de plata, diez roeles de gules; bordura de azur, con cuatro leones y cuatro coronas de oro, alternando.

Antecesores destacados

BARTOLOMÉ ORDÓÑEZ. Escultor burgalés de principios del s. XVI, del cual se tienen pocos datos biográficos: en 1515 era vecino de Barcelona; en 1517 inició en Nápoles la capilla Caracciolo, y dos años más tarde regresó a Cataluña. Su arte muestra una acusada influencia de Miguel Ángel y es una de las manifestaciones más elevadas del renacimiento español, como se observa en la ejecución de la sillería de coro de la catedral de Barcelona.

Ortega

APELLIDOS RELACIONADOS: Ortego.

Etimología

Seguramente se trata de una variante de *ortiga*, del latín *urtica*; otros estudiosos han planteado una posible derivación del antropónimo germánico *Ortwig* («amigo de la espada»), o incluso de *Ortún* o *Fortún*, por san Juan de Ortega (s. XII), natural de Quintana Ortuño (antiguamente, *Quintana Fortunii*), en la provincia de Burgos. Véase también **Ordóñez**.

Orígenes

Apellido castellano, procedente de los duques de Bretaña, ya que el rey Ramiro casó a su hija D.ª Ortega Ramírez con un miembro de esa familia. Las más antiguas casas solares se ubican en las montañas de Burgos, en el valle de Mena y en Carrión de los Condes, desde donde se extendió por toda la península Ibérica y especialmente por Almería, cuyo primer obispo fue D. Juan de Ortega.

Armas

En campo de azur, seis bandas de oro; bordura de gules, con diez aspas de oro.

Antecesores destacados

FRAY JUAN DE ORTEGA. Matemático español, nacido en Palencia, de la primera mitad del s. XVI. Tomó el hábito dominico y enseñó matemáticas en España e Italia. En 1512 publicó su *Tratado sutilísimo de aritmética y geometría*, que fue objeto de numerosas reediciones porque, por primera vez en Europa, se expone un nuevo procedimiento para extraer raíces cuadradas.

Ortiz

Etimología

Se considera el resultado de la evolución vasca de *Fortunio*, aunque también se ha planteado su interpretación como *oro-te-itz*, «alto de las lomas». Véase **Ordóñez**.

Orígenes

Apellido castellano, de las montañas de Burgos, desde donde se extendió por Asturias, el resto de la península Ibérica y América. En 1540, Carlos I otorgó escudo de armas a D. Juan Ortiz, vecino de Cuzco (Perú).

Armas

En campo de oro, una estrella de azur. Bordura de plata, con ocho rosas de gules, y una segunda bordura, de gules y plata.

Antecesores destacados

JUAN ORTIZ DE ZÁRATE. Conquistador español, nacido en Orduña hacia 1521. Pasó a América en 1534 y participó en la conquista de Perú. Fue gobernador y capitán general de Río de la Plata. Fundó la ciudad de Zaratina de San Salvador (1574), en el estuario del Plata, y llegó a Asunción al año siguiente.

Pacheco

Etimología

Se ha relacionado con el antiguo nombre ibérico *Pacciaecus*, asimilado a Paco, hipocorístico de Francisco (por *Phacus*). Algunos estudiosos lo han considerado una contracción de «palaciego», es decir, «de palacio». Respecto a sus variantes, **Pacho** puede ser un derivado de *pax, pacis* («paz»), con el sentido de «flemático» e «indolente» a partir de los s. XVI y XVII, o incluso aplicado a «gente perezosa», pero también se ha supuesto que es hipocorístico de Francisco; y **Pachón**, derivación que parece expresar la idea de «gordura» o «rechonchez».

Orígenes

Apellido castellano, aunque oriundo de Portugal, con casa solar en Belmonte (Cuenca), desde donde se extendió por Andalucía, Murcia y Portugal. El primero de la estirpe de quien se puede hablar con seguridad es Fernán Ruiz Pacheco (fines del s. XIII), señor de Ferreira; su hijo, Diego López Pacheco el Grande, se trasladó a España durante el reinado de Enrique II; fue señor de Béjar y origen troncal de los títulos de Villena, Villanueva del Fresno, Cerralbo, Escalona, Osuna, la Puebla de Montalbán, etc. El primogénito de éste, Juan Fernández Pacheco, ricohombre de Portugal y de Castilla, fue el primer señor de Belmonte y casó con Inés Téllez de Meneses, sobrina de la reina Leonor de Portugal. Otras ramas menores de los Pacheco son las de los señores de Minaya, Santiago de la Torre y Martinobieco, cuyo tronco es Beatriz Fernández Pacheco, hija ilegítima del primer señor de Belmonte. Otras varias se afincaron en América: condes de San Javier, en Venezuela; marqueses de Villamayor, en México...

Armas

En campo de plata, dos calderas de oro, jironadas de gules, con dos cabezas de sierpes de sinople, a cada lado; bordura de plata, con ocho escudos de las quinas de Portugal.

Antecesores destacados

RODRIGO PACHECO OSORIO. Nacido en Ciudad Rodrigo en 1580, y tercer marqués de Cerralbo, fue, como su padre y su abuelo, capitán general de Galicia. Felipe IV lo nombró conde de Villalobos como premio a sus servicios en México, de donde fue virrey y capitán general. Falleció en Bruselas en 1640.

ANDRÉS PACHECO. Eclesiástico español, nacido en la Puebla de Montalbán en 1550. Tras doctorarse en la Universidad de Alcalá, fue abad de San Vicente, maestro del archiduque Alberto, arzobispo de Toledo y obispo de Cuenca. En 1622, cuatro años antes de morir, fue nombrado inquisidor general y patriarca de las Indias Occidentales. Escribió el tratado *De los daños que causan las coadjutorías, adjuntos y resignaciones de los beneficios curados*.

Padilla

APELLIDOS RELACIONADOS: Paella.

Etimología

Evolución de la palabra latina *patella* («fuente grande para cocinar o servir alimentos»), diminutivo de *patina* («fuente», «cacerola») o, según algunos, de *patera* («copa ritual de los antiguos romanos para beber vino»).

Orígenes

Apellido castellano, originario de Padilla de Yusco, conocida posteriormente por villa de Coruña del Conde (Burgos), de donde procede la rama principal. A mediados del s. XIV retenía este señorío Juan Fernández de Padilla. Su bisnieto, Pedro López de Padilla, señor de Calatañazor, de Coruña del Conde y de Santa Gadea, recibió de Enrique IV el título de adelantado mayor de Castilla en perpetuidad para él y sus descendientes. Posteriormente, la estirpe emparentó con los Reyes Católicos y se integró en la casa de Lara. Otras ramas se establecieron en Jerez de la Frontera, Toledo, Motril, Almonte, Canarias, Antequera, Jimena de la Frontera, Úbeda y Baeza.

Armas

En campo de azur, tres estrellas de plata, rodeadas, en orla, de nueve lunas del mismo metal.

Antecesores destacados

MARÍA DE PADILLA. Dama castellana del s. XIV, amante de Pedro I de Castilla. Miembro de la rama troncal de la estirpe, se educó en casa del valido Juan Alonso de Alburquerque, quien le presentó al rey en Sahagún (1352). Desde entonces y hasta su muerte fue la amante del rey, que casó con Blanca de Borbón. Su influencia valió cargos importantes a los Padilla. A su muerte, Pedro I juró ante las cortes (1362) haber contraído matrimonio con María antes que con Blanca, por lo que fue reconocida como reina y sus hijos pasaron a ser herederos jurados de Castilla.

MARTÍN DE PADILLA, CONDE DE BUENDÍA Y DE SANTA GADEA. Marino español del s. XVI, nacido en Calatañazor. Participó en la batalla de Lepanto y Felipe II le nombró (1585) capitán general de las galeras de España y adelantado mayor de Castilla. Posteriormente fue primer general de la Armada del Océano (1596) y en 1601 mandó una escuadra de cien navíos contra los ingleses, pero fracasó.

Páez

APELLIDOS RELACIONADOS: Báez, Peláez, Paesa, Pelayo, Payo, San Pelayo, Sampelayo, Sampayo.

Etimología

Contracción de Peláez, patronímico de Pelayo, del latín *Pelagius*, y éste a su vez del griego *pelagios*, «marino», «hombre de mar», pero considerado nombre rústico en muchos textos del Siglo de Oro. **Payo** constituye una posible variante rústica gallega, que podría significar «aldeano», «campesino», quizá derivado del latín *pagus*, «territorio aldeano».

Orígenes

Apellido muy antiguo, cuya casa solar han fijado algunos tratadistas en las montañas de la Cordillera Cantábrica, y otros, en Galicia. Martín Páez Bondadoredo, en el s. XI, fue capitán de tropas del rey Fernando I y muy apreciado por el Cid Campeador.

Armas

En campo de plata, tres ondas de mar, de azur.

Antecesores destacados

JUAN PÁEZ DE CASTRO. Erudito y humanista español, nacido en Quer (Guadalajara) hacia 1512. Hizo amistad con Diego Hurtado de Mendoza, embajador de Trento, con quien fue a esta ciudad y a Roma, donde se ordenó sacerdote. Viajó por Italia y los Países Bajos como su consejero y en 1555 Carlos V le nombró cronista oficial. Se le supone autor de una memoria titulada *Método para escribir la historia*.

Palacio

APELLIDOS RELACIONADOS: Palacios, Palazuelo, Palazuelos, Palazón, Palacín, Palasí, Pazo, Pazos, Palau, Palou, Palao.

Etimología

Del latín *palatium*, «palacio», por la residencia de los emperadores romanos desde Augusto, edificada en la cumbre del Monte Palatino, y cuyo significado se ha extendido a cualquier residencia principal o real. Parece que el topónimo derivaría de *palari*, «apacentar», por las muchas ovejas que allí pastaban. Respecto a sus variantes, **Pazo**, contracción de Palacio, es «casa de campo», «morada del aldeano rico»; **Palazón**, posible aumentativo de Palacio, pero también aplicado al conjunto de «postes» (del latín *palus, pali*) de que se compone un edificio; **Palacín**, forma que puede deberse a un cruce de *palatino* y *palaciano*; y **Palau, Palou** y **Palao**, no referidas necesariamente a una residencia real, sino también a un edificio grande y suntuoso.

Orígenes

Apellido vasco, del valle de Gordejuela (Vizcaya), con casa solar fundada por Lope Sánchez de Palacio, descendiente de los Sancho asturianos. El linaje es rico en parientes mayores y en ricoshombres castellanos. Los descendientes ostentan los títulos de marqués de Casa Palacio, marqués de Villarreal de Álava y conde de Berlanga del Duero. Luego se extendió por Asturias, Navarra (valle de Echauri), Aragón, Cataluña y Canarias.

Armas

En campo de oro, una cruz fordelisada y hueca, de gules, cargada en su centro de una panela de sinople y cantonada de otras cuatro panelas, también de sinople, una en cada hueco de la cruz.

Antecesores destacados

ARMANDO PALACIO VALDÉS. Escritor asturiano, nacido en Entralgo en 1853. En 1870 se dirigió a Madrid para estudiar derecho y entró a colaborar en la *Revista europea*, de la que llegó a ser director. En 1881 aparece su primera novela, *El señorito Octavio*, que inicia una lenta evolución hacia actitudes conservadoras. Su obra novelística acaparó un gran éxito al identificarse con los gustos costumbristas del público.

Palacios

APELLIDOS RELACIONADOS: Palacio, Palazuelo, Palazuelos, Palazón, Palacín, Palasí, Pazo, Pazos, Palau, Palou, Palao.

Etimología

Véase **Palacio**.

Orígenes

Apellido vasco, con casa solar en el valle de Carranza (Vizcaya), que posteriormente se extendió por el valle de Trasmiera (Cantabria), las montañas de Burgos, Tierra de Campos, Asturias, La Rioja, Estella (Navarra), Santa Marta de Tera (Soria), León y, más tarde, América (Chile, Ecuador, Guatemala y Perú).

Armas

Escudo cuartelado: 1° y 4°, en campo de gules, tres fajas de oro; y 2° y 3°, en campo de plata, una encina de sinople, frutada de oro.

Antecesores destacados

JUAN LÓPEZ DE PALACIOS RUBIOS. Jurisconsulto español, nacido en Salamanca hacia 1450. Fue oidor de la Chancillería de Valladolid y de la de Ciudad Real. En 1504, los Reyes Católicos lo designaron miembro del Consejo de Castilla. Intervino en la redacción de las leyes de Toro. Entre sus numerosas obras destaca *Tratado del esfuerzo bélico heroico* (1524), la única escrita en castellano.

Pardo

APELLIDOS RELACIONADOS: Pardos, Parda, Pardal, Pardillo.

Etimología

Del latín *pardus*, «leopardo», aplicado a animales y cosas por su semejanza con la piel del leopardo y de la pantera. El medieval *leopardus* viene del griego *leopárdos*, forma-

do con *leoon*, «león», y *párdos*, «pantera», ya que se consideraba híbrido de león y pantera.

Orígenes

Apellido gallego, extendido por Asturias, Aragón y el resto de la península Ibérica.

Armas

En campo de oro, tres pinos de sinople.

Antecesores destacados

EMILIA PARDO BAZÁN. Escritora gallega, nacida en La Coruña en 1851. Era hija de los condes de Pardo Bazán, título que heredaría en 1890. En 1876 se dio a conocer como escritora con un *Estudio crítico de Feijoo*. El volumen *La cuestión palpitante* (1883) la acreditó como uno de los principales impulsores del naturalismo en España.

Parra

APELLIDOS RELACIONADOS: Parras, Laparra, Parreño, Parriego, Parrado, Parriza, Parral, Parrales, Parralo.

Etimología

Probable préstamo del occitano *parrán*, «cercado», «huerto», que a su vez procedería de un gótico *parra*, *parrens*, «cercado», «enrejado»; también se relacionaría con el galorrománico *parricus*, «granero», «terreno cercado». Respecto a sus variantes, **Parreño** y **Parriego**, gentilicios de Parra.

Orígenes

De origen castellano, aunque pronto pasó a Extremadura.

Armas

Escudo cuartelado: 1º y 4º, en campo de plata, un lobo de sable, andante; y 2º y 3º, en campo de azur, un brazo armado de oro, con espada de plata en la mano, perfilada de sable.

Antecesores destacados

MANUEL DE LA PARRA. Poeta mexicano (Sombrerete, Zacatecas, 1878-México 1920). Sus poesías, representativas del posmodernismo y caracterizadas por un tono intimista y nostálgico, fueron recogidas en el volumen *Visiones lejanas* (1914).

Pascual

APELLIDOS RELACIONADOS: Pasquín, Pascoa, Pasqual, Pascuet.

Etimología

Del latín vulgar *pascalis*, «relativo a la Pascua», deformación del latín clásico *Pascha*, que a su vez lo tomó a través del griego de una variante hebrea de *pesach*, «paso», «tránsito», alusión a la salvación del pueblo judío en el tránsito del mar Rojo. Estudios bíblicos modernos lo vinculan a remotas fiestas equinocciales en que se lloraba la deidad muerta en invierno y se exaltaba su resurrección en la primavera. La forma del latín vulgar se explica por contaminación de *pascuum*, «lugar de pastos».

Orígenes

Apellido vasco, del alavés valle de Zárate, de donde pasó a tierras de La Rioja, a Puigcerdà (Cataluña) y a Valencia.

Armas

En campo de azur, un cordero pascual al natural, con un estandarte de plata y una cruz de gules en él.

Antecesores destacados

NARCISO PASCUAL Y COLOMER. Arquitecto valenciano, nacido en 1801. Fue el arquitecto más señalado de Madrid en la época de Isabel II, y el primer director de la Escuela Superior de Arquitectura de la ciudad. Entre sus obras destacan el palacio del Congreso de los Diputados y la remodelación de la iglesia de San Jerónimo del Real.

p

Pastor

APELLIDOS RELACIONADOS: Pastora, Pastors, Pastorín, Pastoriza, Pastó, Pastrana.

Etimología

Del latín *pastor, pastoris*, derivado de *pastus*, «pasto», formado a su vez de la forma verbal *pascere*, «pacer». Es un apellido correspondiente a un oficio, pero que caló en el lenguaje eclesiástico en el sentido de «cuidador de una comunidad». Respecto a sus variantes, **Pastrana** parece haber evolucionado de *pasturana*, «pastizal».

Orígenes

Apellino riojano, de la villa de Matute, aunque después pasó a Navarra y a Cataluña.

Armas

En campo de plata, una encina de sinople y dos ovejas al natural, empinadas al tronco, una a cada lado.

Antecesores destacados

NICOMEDES PASTOR DÍAZ. Escritor y político español (Vivero 1811-Madrid 1863). Su vertiginosa carrera política se inició en 1837, cuando fue nombrado gobernador civil de Segovia y, más tarde, de Cáceres. Senador vitalicio, ocupó diversos cargos ministeriales y también el rectorado de la Universidad de Madrid. Paralelamente, se dedicó a la literatura, sobre todo poesía romántica.

Peña

APELLIDOS RELACIONADOS: de la Peña, Peñas, la Peña, Lapeña, Sopeña, Penya, Panyella, Peñil, Peñín, Peñalba, Peñalver Penella, Pena, Penas, Penalba, Penalva, Panadés, Penedès.

Etimología

Del latín *penna*, «roca», «peñasco». Se ha comentado su procedencia del latín *pinna*, «almena», en el sentido de comparar las rocas que erizan una cresta a las almenas de una fortaleza. Respecto a sus variantes, **Panyella** y **Penella**, diminutivos del bajo latín *pinuella* o *pinnella*, «peñita»; **Peñalba, Penalba** y **Peñalver**, «peña blanca»; **Panadés** y **Penedès**, «paraje rocoso»; y **Peñón**, «monte peñascoso».

Orígenes

Apellido castellano, del valle de Mena (Burgos), desde donde se extendió por Castilla, Aragón y el resto de la península Ibérica.

Armas

Escudo tronchado: 1º, en campo de gules, una estrella de oro; y 2º, en campo de gules, unas peñas al natural.

Antecesores destacados

ANTONIO PEÑA Y GOÑI. Musicógrafo y crítico musical, nacido en San Sebastián en 1846. Propagandista de las obras de Wagner y defensor de la zarzuela, publicó numerosos apuntes históricos y críticos, y destaca su obra *La ópera española y la música dramática en España en el siglo XIX* (1881).

Pereira

APELLIDOS RELACIONADOS: Pereyra, Peral, Perales, Lapera, Lapeira, Pereda, Perera, Pereiras, Pereiro, Perellada, Pera, Perals, Sapera, Perer, Perera, Parera, Paré, Parés, Perelló.

Etimología

Forma gallega de Peral, del latín *pira*, «pera». Respecto a sus variantes, **Perelló** puede proceder también de una forma *pereylons*, del latín clásico *petra* y con el sentido de «pedregal».

Orígenes

Apellido gallego, con casa solar en Chantada (Lugo), que luego pasó a Portugal.

Armas

En campo de plata, una cruz floreteada y hueca de gules; bordura de plata, con ocho escudetes con las quinas de Portugal.

Antecesores destacados

VASCO DE PEREIRA. Pintor portugués, nacido en Lisboa o en Évora, y activo en Andalucía en la segunda mitad del s. XVI. Su estilo manierista tardío, que dominaba entonces en Sevilla, se refleja en obras como *San Sebastián* y *Anunciación*.

Pérez

APELLIDOS RELACIONADOS: Pero, de Pedro, Périz, Peris, Peiro, Pedrín, Pere, Peret, Perot, Peric, Piris, Perucho, Perote, San Pedro, Sanpedro, Sampietro, Samper, Sempere, Pericàs, Pericay, Peiró, Peyró, Parrot, Parramón, Perurena.

Etimología

Patronímico de Pedro y uno de los apellidos más frecuentes en España. Según el evangelio de Mateo, Simón, hijo de Jonás, fue consagrado como jefe de la Iglesia por el propio Jesucristo con las palabras: «Tú eres *Khephás* (del hebreo *kefa*, «piedra», «roca») y sobre esta piedra edificaré mi iglesia». Traducido al griego como *Petros* y al latín como *Petrus* (del latín *petra*, «piedra», «roca»), el nombre se difundió desde los primeros tiempos del cristianismo. Respecto a sus variantes, **Peris** y **Piris**, con forma final en –*s* que perdura en catalán y en otros apellidos que pueden confundirse con plurales; **Pericàs** y **Pericay**, diminutivos de *Pere*; **Peiró** y **Peyró**, derivados de *Peire*, forma antigua; **Parrot**, del francés *Perrot*, hipocorístico de *Pierre*; **Perucho**, de la forma italiana *Peruccio*, «Pedrito»; y **Perurena**, «la casa de Pedro».

Orígenes

Apellido muy común en la Edad Media, sobre todo en Castilla y Andalucía. A causa del gran número de personas que llevaban este apellido, solía añadirse el lugar de nacimiento o el nombre de la villa o plaza conquistada en una acción bélica: Pérez de Tudela, Pérez de Soria... A principios del s. VIII ya se encuentran infanzones en este linaje. Uno de los más ilustres era el conde D. Pero, señor de muchas villas y estados en Castilla. Una de las casas solares que se tiene por más antigua es la de Brieva, en el valle cántabro de Trasmiera. También destacan Nuño Pérez, señor del valle del Riero, en las montañas de León, donde defendió la entrada de los árabes cuando Almanzor perseguía al rey Alfonso VII, y Hernán Pérez del Pulgar, caballero del Ave María y capitán de los Reyes Católicos. Algunas de sus ramas, que probaron nobleza en numerosas órdenes militares, pasaron a América, especialmente a México (con los conquistadores que acompañaban a Hernán Cortés), y otra, a Filipinas.

Armas

Escudo partido: 1º, en campo de plata, un peral de sinople frutado de oro, y bordura de azur, con tres flores de lis de plata; y 2º, en campo de oro, un león rampante y coronado de púrpura.

Antecesores destacados

PELAY PÉREZ CORREIA. Caballero portugués del s. XIII. En 1242 fue elegido maestre de la orden de Santiago por el capítulo de Mérida. Al servicio de Alfonso X de Castilla, tomó parte en la reconquista de Jaén y de Sevilla, pero en 1269 se unió a la rebelión del infante Fernando de la Cerda contra el rey.

FERNÁN PÉREZ GUZMÁN, SEÑOR DE BATRES. Escritor español de los s. XIV-XV. Bisabuelo de Garcilaso, tío del marqués de Santillana y sobrino del canciller López de Ayala. Desengañado de las intrigas palaciegas, se retiró a su señorío de Batres, donde se dedicó al estudio y las letras hasta su muerte. Sus primeras obras, cantigas de amor, se conservan en el *Cancionero de Baeza*, aunque destaca su producción en prosa (*Generaciones y semblanzas*).

Plaza

APELLIDOS RELACIONADOS: Plazas, de la Plaza, Plazola, Plazuela, Laplaza, Plazaola, Plaça.

Etimología

Del latín vulgar *plattea*, a su vez del latín clásico *platea*, «calle ancha», «plaza»; luego adquirió la acepción secundaria de «mercado», «feria». Respecto a sus variantes, **Plazaola**, «ferrería de la plaza».

Orígenes

Apellido vasco, con casa solar en Valmaseda (Vizcaya), que se extendió por Aragón, Navarra y el resto de la península Ibérica con diversas denominaciones: de la Plaza, Plazas, Laplaza... Todas estas ramas participaron muy activamente en diferentes acontecimientos nacionales importantes.

Armas

En campo de sinople, un roble al natural, frutado de oro, y un lebrel, manchado y acollarado de oro, atado al tronco con una cadena de sable; en el cuartel de honor, una flor de lis de oro.

Antecesores destacados

JUAN DE LA PLAZA. Misionero jesuita español, nacido en Medinaceli en 1527. En 1574 fue enviado como visitador a Perú, y luego partió para México (1579) con el mismo cargo, donde quedó como superior provincial. En 1585 se le encargó la redacción de un catecismo, muy divulgado en México y que en su tiempo supuso un gran avance catequético.

p

Polo

APELLIDOS RELACIONADOS: Pablo, Pablos, de Pablo, de Pablos, Dompablo, Dompablos, Pol, Santpol, Sampol, Pau, Santpau, Paulet, Paulo.

Etimología

Variante del nombre de pila Pablo, del latín *pau(l)lus* («pequeño», «débil»), por reducción del diptongo *au*. Constituye el apelativo adoptado por Saulo de Tarso al convertirse al cristianismo, quizá en señal de humildad, y también parece ser el apodo de un miembro de la *gens* romana *Aemilia*, que mereció por su baja estatura.

Orígenes

Apellido valenciano, posiblemente oriundo de la Antigua Grecia (se sabe del ciudadano griego Polo, filósofo contemporáneo de Sócrates, a finales del s. V a.C., con antecesores en Agrigento), aunque no es probable que los descendientes españoles tengan una relación directa con los Polo de la época de Pericles. Algunos Polo se emparentaron con la casa real inglesa de los Plantagenet, de donde una rama viajó a España, concretamente a Aragón (como Reginald Polo, hijo de lady Margaret Plantagenet, cardenal arzobispo de Canterbury y legado apostólico ante el emperador Carlos I de España). Algunos tratadistas apuntan la posibilidad de que los Polo españoles desciendan del caballero inglés Ramón Polo, que sirvió al rey Jaime I en 1192, y que fue recompensado por el monarca con tierras y heredades. Diversos descendientes se establecieron en Puebla de Hijar (Teruel), Andalucía, Navarra, La Rioja, Burgos, Salamanca y Oviedo. Este apellido probó su nobleza en la Sala de Hijosdalgo de la Real Chancillería de Valladolid.

Armas

En campo de plata, una banda de gules, cargada de siete estrellas de oro, acompañada en lo alto de una estrella de azur y, debajo de ella, esta leyenda en letras de sable: «Inmotu», y en lo bajo, de otra estrella de azur, superada de esta leyenda: «Lumine», en letras de sable.

Antecesores destacados

Gaspar Gil Polo. Escritor español (Valencia 1530-Barcelona 1584), se le ha atribuido el cargo de catedrático en la Universidad de Valencia. Parte de su fama como poeta estriba en que Cervantes le dedicó una octava real en la *Galatea*.

Pons

Apellidos relacionados: Ponce, Poncio, Ponciano, Ponç, Ponsich, Poncet, Punset, Ponsetí, Santponç.

Etimología

Forma catalana de Poncio o Ponce, nombre muy frecuente en la Edad Media. Derivado del latín *Pontius*, es decir, «que pertenece al Ponto» (reino de Mitríades, en el Asia Menor), o bien de *pontus, ponti*, «que pertenece al mar». Respecto a sus variantes, **Ponciano**, del latín *Pontianus*, también nombre de santo.

Orígenes

Apellido de origen catalán. En 1648, Felipe IV concedió a D. Dalmau de Queralt y Alagón el título de marqués de Pons.

Armas

En campo de oro, un puente de sable, de tres arcos.

Antecesores destacados

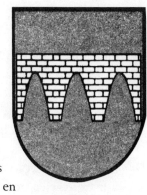

JOSEP LLUÍS PONS I GALLARZA. Poeta en lengua catalana (Barcelona 1823-Palma de Mallorca 1894). Adscrito al movimiento de la Reinaxença, fue mantenedor de los Juegos Florales de Barcelona en 1859. Su obra poética, reunida en *Poesies*, destaca por el tono reflexivo dentro de una orientación romántica.

Prado

p

APELLIDOS RELACIONADOS: Prados, de Prado, del Prado, Pradal, Pradera, Praderas, Pradilla, Pradillos, Prada, Pradell, Prat, Prats, Parat, Parats, Perats.

Etimología

Del latín *pratum*, *prati*, «prado», «pradera», voz muy frecuente en toponimia. Respecto a sus variantes, **Prada**, del latín *prata*, «conjunto de prados» o «prado grande».

Orígenes

Apellido gallego, descendiente de un infante leonés que ejercía jurisdicción en el antiguo reino de Galicia y tuvo un hijo con una dama gallega denominada Del Prado, por el lugar donde residía. La tradición cuenta que la moza era doncella y que tuvo el hijo en un prado, el cual, cuando supo de tal circunstancia, tomó por apellido la denominación de Prado. El apellido, que se extendió por la península Ibérica y llegó a América, probó nobleza en las órdenes de Alcántara, Calatrava, Santiago y San Juan de Jerusalén o Malta, así como en la civil de Carlos III. Diversos títulos nobiliarios enriquecen las ramas de este apellido.

Armas

En campo de sinople, un león de sable coronado de oro, lampasado de gules y fajado de oro; bordura de plata, con este lema en letras de sable: «Et oportuerit me mori tecum non te negabo».

Antecesores destacados

DIEGO DE PRADO Y TOBAR. Cartógrafo y navegante español de los s. XVI-XVII. Participó en la expedición de Fernández de Quirós y fue nombrado depositario general de Nueva Jerusalén, en Espíritu Santo (1606). Navegó con Váez de Torres y levantó los mapas de las tierras descubiertas.

p

Prat

APELLIDOS RELACIONADOS: Prats, Parat, Parats, Perats, Prado, Prados, de Prado, del Prado, Pradal, Pradera, Praderas, Pradilla, Pradillos, Prada, Pradell.

Etimología

Forma catalana de Prado. Véase **Prado**.

Orígenes

Linaje catalán, muy antiguo y extendido por todas sus comarcas. Existen documentos que reconocen, como primer portador del apellido, a Bernat de Prat, señor de Clarà. En Cataluña hay diversos topónimos denominados Prat o Prats, el nombre de los cuales se relaciona sin duda con el de este linaje, que tuvo diferentes casas solares en Moià, Barcelona, Vic, Girona, Figueres y Tremp, y luego pasó a Mallorca y Valencia, originando nuevas ramas.

Armas

En campo de azur, cinco rosas de oro puestas en sotuer.

Antecesores destacados

ENRIC PRAT DE LA RIBA. Político catalán (Castellterçol 1870-1917). Terminó la carrera de derecho y escribió un compendio, *La nacionalidad catalana*, donde esbozó lo esencial de su concepción del catalanismo. Presidente de la Diputación de Barcelona y de la Mancomunidad, elevó el regionalismo catalán a teoría nacionalista.

Prieto

APELLIDOS RELACIONADOS: Preto, Pretus.

Etimología

Derivación de *apretar* («estrechar contra el pecho»), resultado a su vez de una forma del latín tardío *appectorare*, «arrimar al pecho», derivado de *pectus*, *pectoris* («pecho»). Luego pasó a significar «oscuro», «moreno», «casi negro», empleado como mote de una persona de piel oscura. Esta acepción pudo surgir de la frase del Cid *de noche prieto*, es decir, «cerca de la noche», «cerrada la noche», «a oscuras». Las variantes catalanas **Preto** y **Pretus** pueden ser posibles metátesis del latinismo *Petrus*, es decir, Pedro.

Orígenes

El infante D. Juan «el Prieto» construyó casa solar en la jurisdicción de Celayas, en el antiguo reino de León. Esta casa pasó a denominarse la del «prieto» por tener el infante una barba muy cerrada, es decir, muy «prieta». El apellido se extendió después por Andalucía y el resto de España, formando nuevas casas solariegas. Lo mismo ocurrió en América, especialmente en México, Chile, Nicaragua, Ecuador y Bolivia. Los descendientes realizaron grandes servicios a la Corona de España: uno de ellos acudió a la conquista de Baeza acompañando a Fernando III el Santo.

Armas

En campo de plata, dos lobos de sable, pasantes puestos en palo. Bordura de gules, con siete aspas de oro, y en jefe, un escudete de plata, cargado de un castillo de oro sobre ondas de agua de azur y plata.

Antecesores destacados

INDALECIO PRIETO. Periodista y político español, nacido en Oviedo en 1883. Afiliado al Partido Socialista, fue elegido diputado por Bilbao. Fue ministro de Hacienda y Obras Públicas en el gobierno republicano de Azaña, y ministro de Marina y Aire y de Defensa durante la Guerra Civil. En 1938 fue destituido de su cargo y marchó a América, en donde escribió diversas obras. Falleció en México en 1962.

Puente

APELLIDOS RELACIONADOS: de la Puente, Ponts, Pontes, Pontons, Puntí, Alpuente.

Etimología

Del latín *pons, pontis*, «puente». La forma **de la Puente** refleja el antiguo género femenino de la palabra.

Por pasar la puente
me puse a la muerte

Orígenes

Apellido vasco, del ayuntamiento de Arcentales, partido judicial de Valmaseda (Vizcaya), muy extendido por toda la península Ibérica.

Armas

En campo de azur, un puente de tres arcos, de plata, sobre ondas de agua de plata y azur, superado de un castillo de oro, aclarado de gules y sumado de una bandera de plata cargada del lema: «Por pasar la puente me puse a la muerte», en letras de sable, acostado de dos leones de oro, y en punta, sobre las ondas, una cabeza de moro coronada a la antigua.

Antecesores destacados

LUIS DE LA PUENTE. Teólogo y escritor ascético vallisoletano (1554-1624). En 1574 ingresó en la Compañía de Jesús, donde desempeñó cargos de gobierno. Escribió las obras ascéticas *Meditaciones de los misterios de nuestra santa fe* y *De la perfección del cristiano*, así como diversas biografías.

Puig

APELLIDOS RELACIONADOS: Poyo, Pueyo, Poyato, Pui, Puy, Espoy, Puch, Puche, Despuig, Bellpuig, Pujol, Puyol, Pujols, Puchol, Pujolar, Pujal, Pujals, Pujolràs, Puyal, Puigbó, Puigcercós, Puigmartí, Pijoan.

Etimología

Forma catalana de Pueyo, variante de Poyo, del latín *podium*, «repisa», «lugar saliente elevado», acepción extendida a «elevación del terreno», «cerro». Respecto a sus variantes, **Puigbó**, «montaña buena»; **Puigcercós**, del latín *podium quercosum*, «montaña de robles»; **Puigmartí**, «montaña de Martín»; **Pijoan**, derivado de *Puig Joan*, «montaña de Juan»; **Pujol, Puyol, Pujols** y **Puchol**, del latín vulgar *podiolum*, «montañita»; y **Pujolràs**, «montaña sin árboles».

Orígenes

Antiguo apellido catalán, muy extendido por toda Cataluña, y también por Baleares y Valencia. En las islas, se establecieron casas solariegas importantes en Palma, Llucmajor y otros lugares. Numerosos descendientes han destacado en el ejercicio de las armas y en la dedicación a las letras y las ciencias.

Armas

En campo de azur, un monte flordelisado, de oro.

Antecesores destacados

ANDRÉS PUIG. Matemático catalán del s. XVII, nacido en Vic (Barcelona). En 1672 publicó una *Aritmética especulativa y práctica y arte de álgebra*, heredera de las teorías expuestas en Valencia por Juan Serrano.

Quintana

Etimología

Del latín *quintana*, «una de las puertas, vías o plazas de los campamentos romanos donde se vendían víveres», y más tarde con la acepción de «finca en el campo», cuyos colonos solían pagar por renta la quinta (del latín *quintus*) parte de sus frutos.

Orígenes

Apellido vasco, oriundo de Sopuerta (Valmaseda, Vizcaya). Una de sus ramas se estableció en Burgos, la cual dio origen a la rama de Canarias. El apellido se extendió paulatinamente por la península Ibérica.

Armas

Escudo cuartelado: 1º y 4º, en campo de azur, una flor de lis de oro; y 2º y 3º, en campo de oro, una cruz floreteada de gules.

Antecesores destacados

MANUEL JOSÉ QUINTANA. Escritor y político español (Madrid 1772-1857). Estudió leyes y filosofía en Salamanca, donde fue discípulo de Meléndez Valdés, cuyas enseñanzas se reflejan en sus obras precoces. Fue ministro del Consejo Real, presidente de la Dirección de Estudios y ayo instructor de Isabel II (1840), que en 1855 lo coronó poeta nacional. Su obra poética, de temática humanitaria y política, se adscribe formalmente a los patrones neoclásicos.

Quiroga

Etimología

Derivado de la villa del mismo nombre en la provincia de Lugo, la antigua *Cairoga*, topónimo relacionado con *queiroga*, nombre de una planta *(Erica lusitanica)*.

Orígenes

Linaje muy ilustre de origen gallego, con casa solar en el valle de Quiroga (Lugo), que ha entroncado con el tiempo con las familias más nobles de España, como los Alba, los Bocanegra y los Portocarrero, descendientes de los duques de Venecia. El primer caballero del que hablan las crónicas es Vasco Pérez de Quiroga, que tomó parte en la mayoría de acciones bélicas emprendidas por Fernando II, en especial contra los árabes. El rey Alfonso XIII creó en 1916 el condado de la Torre de Cela a favor de D. Jaime Quiroga y Pardo-Bazán.

Armas

En campo de gules, cinco estacas de plata puestas en faja.

Antecesores destacados

RODRIGO QUIROGA. Conquistador y administrador gallego, nacido en San Juan de Boime en 1512. Participó con Valdivia en la conquista de Chile y fue alcalde de Santiago y gobernador interino de Chile (1565-1567).

Ramírez

APELLIDOS RELACIONADOS: Ramiro, Remírez, Remires, Ramis, Ramir, Ramirena.

Etimología

Patronímico de Ramiro, nombre de pila de origen germánico. Parece derivarse de la con-

tracción de *Ranimiro*, del visigodo *Ranamêrs* (de *rana*, «cuña», y *mers*, «ilustre»), metáfora aplicada al guerrero temerario que, en su arrojo, abre con su cuerpo la brecha de la derrota en las filas del enemigo. También se ha considerado una posible derivación de *radamir* (de *rad*, «consejo», y *miru*, «insigne»). Respecto a sus variantes, **Ramirena**, «la casa de Ramiro»; y **Ramis**, variante de Ramiro, aunque también existe un germánico *Rami*, *Ramius* o *Ramis*, considerado equivalente al nombre francés *Rémy*, hipocorístico de *Remigius* (Remigio).

Orígenes

R Apellido patronímico, con casas solares sin relación alguna entre sí. Los Ramírez de Granada y también los de León descienden de la rama fundada por un nieto del rey Ramiro I, y los de Madrid descienden del caballero García Ramírez, que realizó grandes empresas durante la Reconquista. La nobleza de este apellido fue probada en diversas órdenes militares: Calatrava, Santiago, Carlos III, San Juan de Jerusalén, Alcántara y Reales Chancillerías de Granada y Valladolid. El apellido se extendió por toda España.

Armas

Escudo cuartelado en sotuer: 1° y 4°, en campo de azur, una caldera de oro; y 2° y 3°, en campo de plata, cinco sierpes de sinople, puestas 1-3-1. Bordura de gules, con diez escudetes de plata, cargado cada uno de un castillo de oro.

Antecesores destacados

DIEGO RAMÍREZ DE ARELLANO. Cosmógrafo y navegante español del s. XVII. Piloto mayor de la Casa de Contratación de Sevilla, recibió la misión de explorar el cabo de Hornos. Tras llegar allí en 1619, navegó hacia el sur y descubrió las islas que actualmente llevan su nombre.

FRANCISCO RAMÍREZ DE MADRID. Señor castellano del s. XV. Fue secretario de los Reyes Católicos y capitán mayor de la artillería de todos sus reinos, y actuó en las campañas de Granada. Llevó a cabo la expulsión de los musulmanes que no quisieron convertirse.

Ramos

APELLIDOS RELACIONADOS: Ramajo, Ramallo, Ramal, Ram, Rams.

Etimología

Nombre que se daba a los niños nacidos el Domingo de Ramos, del latín *ramus*, «rama», por los ramos y palmas con que fue recibido Jesucristo en Jerusalén. Respecto a sus variantes, **Ramallo**, forma gallegoportuguesa con el significado de «rama pequeña» o «rama cortada de un árbol», equivalente al **Ramajo** castellano.

Orígenes

Estaba muy extendido por toda la península Ibérica, ya que se fundaron casas solares en Asturias, Andalucía, Aragón, Brihuega (Guadalajara), Murcia... Tras la colonización de las tierras americanas, una de las ramas pasó al nuevo continente.

Armas

En campo de oro, una carrasca de sinople, y saliendo del flanco diestro del escudo, un brazo vestido de gules, que con la mano de carnación pretende desgarrar un ramo de la carrasca.

Antecesores destacados

BARTOLOMÉ RAMOS DE PAREJA. Teórico musical español del s. XV, nacido en Baeza. Enseñó música en la Universidad de Salamanca y hacia 1472 se instaló en Bolonia, y luego en Roma. Su única obra conservada es un *canon rebus* en forma de círculo. Escribió un tratado de teoría musical, *Música práctica*, e inventó un nuevo sistema de mudanzas.

Redondo

Etimología

Del latín *rotundus*, «de figura circular». **Redón** y **Rodón** son formas apocopadas.

Orígenes

Apellido castellano, oriundo de las montañas de Burgos, acabó extendiéndose por toda la península Ibérica.

Armas

En campo de gules, unas peñas pardas, perfiladas de oro, y entre ellas, un río plateado; sobre las peñas, una torre de plata aclarada de azur, y asomada a la ventana de la torre del homenaje, una dama bien vestida; a cada lado de la torre, un león rampante al natural. Bordura de azur con ocho veneras de plata.

Antecesores destacados

ONÉSIMO REDONDO. Político vallisoletano, nacido en Quintanilla de Abajo en 1905. Fundó las Juntas Castellanas de Actuación Hispánica (1931) y participó en la unificación de Falange Española y de las JONS. Murió en el frente de Segovia en 1936.

Regás

APELLIDOS RELACIONADOS: Regàs.

Etimología

Tal vez originario del italiano *regazzo*, «muchacho», procedente a su vez del sobrenombre medieval (s. XIII) *ragatius*, «joven servidor», «mozo de establo».

Orígenes

Apellido catalán.

Armas

En campo de oro, dos fajas ondeadas de gules; en punta, una rosa de gules.

Antecesores destacados

ANTONI REGÀS-BORRELL I BERENGUER. Inventor catalán, nacido en Mataró hacia 1750. En 1772 se estableció en Zaragoza, donde, protegido por la Sociedad Aragonesa de Amigos del País, investigó diversas mejoras para la industria sedera. Publicó varios opúsculos técnicos y perteneció a la Academia de Ciencias y Artes de Barcelona.

Rey

APELLIDOS RELACIONADOS: del Rey, Reyes, Reina, Réyez, Regino, Regina, Reine, Real, del Real, Reales, Regio, Rei, Reig, Rech, Regí, Rcinals, Reinosa, Reinoso.

Etimología

Del latín *rex*, *regis*, «el que rige una nación», constituye un apelativo referido al recién nacido como «rey» de la familia y a aquel que alcanza la dignidad de «rey» en un arte u oficio. Respecto a sus variantes, **Reina**, forma femenina, suele evocar a la Virgen María, a la «reina del cielo» *(regina coeli)*; **Real**, del latín *regalis*, «relativo al rey o a la realeza», «regio», «suntuoso»; **Reinosa** y **Reinoso**, variantes de *Ranosa* («lugar de ranas»), de donde pasó a *Renosa* y *Reinosa*, actual ciudad cántabra.

Orígenes

Apellido navarro, extendido posteriormente por toda la península Ibérica.

Armas

En campo de gules, una banda de oro, acompañada en lo alto de una corona de oro sobre un ramo de laurel del mismo metal, y en lo bajo, de una cruz de oro.

Antecesores destacados

ANDRÉS REY DE ARTIEDA. Dramaturgo y poeta valenciano (1549-1613). Se doctoró en derecho y enseñó astrología en Barcelona. Abandonó los estudios para servir con las armas a Felipe II y Felipe III en las campañas de Lepanto, Novarino y Chipre. Adoptó el nombre poético de Artemidoro, que aparece en el título de su obra *Discursos, epístolas y epigramas de Artemidoro*.

R

Reyes

APELLIDOS RELACIONADOS: Rey, del Rey, Reina, Réyez, Regino, Regina, Reine, Real, del Real, Reales, Regio, Rei, Reig, Rech, Regí, Reinals, Reinosa, Reinoso.

Etimología

Véase **Rey.**

Orígenes

Apellido castellano.

Armas

En campo de oro, un castillo de piedra superado de una estrella de azur. Bordura de plata, con ocho armiños de sable.

Antecesores destacados

MATÍAS DE LOS REYES. Escritor español de los s. XVI-XVII, nacido en Madrid. Dramaturgo profundamente influido por Lope de Vega y Tirso de Molina, escribió además algunas novelas de tipo cortesano, como *El curial del Parnaso* (1624).

Riba

Etimología

Del latín *ripa*, «margen de un río», «orilla», «ribera». Respecto a sus variantes, **Ripalda**, derivado del eusquera *erripa*, «paraje costanero», «terreno en declive», con terminación *aldu* («alto») o una variante de *alde* («lado», «región»); **Sorribas**, del latín *sub ripas*, «bajo las riberas»; **Ribelles** y **Rivelles**, del latín *ripellae*, diminutivo de *ripa*; y **Revilla**, del antiguo *reviella, revella*, evolución de *ripella*, diminutivo de *ripa*. Véanse también **Ribera** y **Rivero**.

Orígenes

Apellido cántabro, de la merindad de Trasmiera.

Armas

En campo de gules, un castillo de plata, acostado de dos grifos rampantes, de oro, uno a cada lado, y superado de un águila de sable, volante, superada a su vez de una cruz floreteada de oro. Bordura de azur con ocho veneras de oro.

Antecesores destacados

FELIPE DE RIBAS. Escultor sevillano de la primera mitad del s. XVII. Fue discípulo de Alonso Cano y su principal continuador en Sevilla. Realizó numerosos retablos, como el del convento de la Concepción, con un movimiento más barroco y efectista que el de Cano.

Ribera

Etimología

Del latín *riparia*, «que se encuentra en la orilla de una corriente», derivado de *ripa*; por extensión, «la vega o el valle cercano al río», y por lo común, «el terreno más fértil y cultivado». Véanse también **Riba** y **Rivero**.

Orígenes

Apellido gallego, de antiquísimo linaje, que se ha extendido por toda España y América, sobresaliendo las casas solariegas de Murcia y Andalucía. A principios del s. XV destacó el valeroso caballero Perafán (o Pero Afán) de Rivera o Ribera, descendiente directo de Ramiro III y adelantado mayor de Andalucía.

Armas

En campo de oro, tres fajas de sinople.

Antecesores destacados

FRANCISCO DE RIBERA. Religioso español (Villacastín 1537-Salamanca 1591). Ingresó en la Compañía de Jesús en 1570 y ejerció de profesor de Sagrada Escritura en Salamanca. Fue uno de los directores de santa Teresa de Jesús y autor de *Vida de la Madre Teresa de Jesús* (1590).

ALONSO DE RIBERA. Militar y administrador español, nacido en Úbeda en 1560. Participó como capitán en las campañas de Flandes y posteriormente fue gobernador de Chile (1601-1605). También ocupó la gobernación de Tucumán (1605-1611) antes de regresar a Chile, donde falleció en 1617.

Rico

APELLIDOS RELACIONADOS: Rica, de la Rica, Ricos, Ricón, Ricós.

Etimología

Derivado del gótico *reiks*, «poderoso», o del fránquico *riki*, «noble o de alto linaje o conocida bondad», aunque en castellano ha figurado siempre con la acepción de «acaudalado». También es componente de numerosos nombres germánicos (Ricardo, Roderico o Rodrigo).

Orígenes

Apellido asturiano, concretamente de Luarca, de donde pasó a toda la península Ibérica.

Armas

Escudo cuartelado: 1°, en campo de oro, una cruz floreteada de gules; 2°, en campo de gules, una banda de oro engolada en dragantes de lo mismo; 3°, en campo de sinople, una llave de plata; y 4°, en campo de azur, un menguante de plata. Bordura de oro, con la leyenda: «Dominus sit, mihi adjutor, et ego despietam inimicos meos».

Antecesores destacados

FÉLIX RICO. Obispo español, nacido en Castalla (Valencia) en 1730. Fue nombrado vicario general de Santa María del Mar (Barcelona) y luego capellán mayor de la catedral de la ciudad. En 1795, Carlos IV lo propuso para la silla episcopal de Teruel, donde fundó la Casa Hospicio de Misericordia. Fue escritor de gran erudición, abogado de los Reales Consejos y caballero de la orden de Carlos III. Murió en Teruel en 1799.

Ríos

APELLIDOS RELACIONADOS: Río, del Río, de los Ríos, Rioz, Rioseco, Riera, Sarriera, Rierola, Masriera, Riojo, Riaño, Rialp, Riaza, Riazor, Riu, Rius, Riutort.

Etimología

Del latín *rivus*, «arroyo», «canal», pero que pasó a designar un curso de agua considerable. Respecto a sus variantes, **Riera**, «lecho natural de las aguas pluviales», de-

rivación a partir del catalán *riu*; **Rierola**, diminutivo; **Masriera**, «riera mansa», del latín *mansum*, «calmado»; **Riaño**, topónimo de un antiguo *rivi angulus*, por el ángulo que formaba allí la confluencia de dos ríos; **Rialp**, del bajo latín *rivus albus*, «río blanco»; y **Riutort**, «río torcido».

Orígenes

Apellido castellano, de las montañas de Burgos, desde donde se extendió por el resto de la península Ibérica.

Armas

En campo de plata, cinco cabezas de sierpe de sinople puestas en sotuer.

Antecesores destacados

FERNANDO GUTIÉRREZ DE LOS RÍOS Y LÓPEZ DE HARO. Canónigo de la catedral de Córdoba desde 1288, después arcediano, y en 1298, obispo de Córdoba. Se cree que falleció en 1325, tras un brillante pontificado.

Rivero

Etimología

Del latín *riparius*, «vallado de estacas, cascajo y céspedes que se hace a la orilla de las presas para que no se derrame el agua», o también, simplemente, «habitante de la riba», «que vive en la riba». Respecto a sus variantes, **Riverol**, diminutivo; y **Ribeiro**, derivado de *ribeira*, nombre muy repetido en la geografía gallega. Véanse también **Riba** y **Ribera**.

Orígenes

Apellido asturiano, extendido por toda la península Ibérica. En 1919, el rey Alfonso XIII concedió el título de conde del Rivero a D. Nicolás Rivero y Muñiz.

Armas

En campo de sinople, un castillo de piedra sobre unas rocas, puestas sobre ondas de agua de azur y plata; saliendo del castillo, un caballero con lanza larga al hombro, y un lebrel; en lo alto de las almenas, una cruz de gules; a cada flanco del castillo, un pino de sinople.

Antecesores destacados

JUAN RIVERO. Eclesiástico e historiador español, nacido en Miraflores de la Sierra en 1681. Destinado a Nueva Granada, su facilidad para las lenguas le permitió ahondar en el conocimiento de la historia de aquel país. Es autor de unas normas para la evangelización de esa zona.

Robles

Etimología

Del latín *robur, roburis*, «roble», «fuerza», «robustez», y figuradamente, «persona fuerte y de gran resistencia». Respecto a sus variantes, **Rovira** y **Rubira**, del bajo latín *roberea*, «robledo»; **Rovirosa** y **Rubirosa**, «tierra de robles»; y **Roviralta**, «robledo alto».

R

Orígenes

Apellido castellano, extendido por toda España. Destacaron las casas solariegas de Castilla y Andalucía.

Armas

En campo de gules, un roble al natural. Bordura de oro con ocho armiños de sable.

Antecesores destacados

FERNÁN ALFONSO DE ROBLES. Primer señor de Valdetrigueros, Mansilla y Rueda, fue contador mayor de Castilla y del Consejo del rey Juan II. Murió preso en el castillo de Uceda (Guadalajara) en 1430.

Roca

Etimología

Derivado de una lengua prerromana de difícil precisión, que posteriormente en francés dio *roc, roche*, «piedra muy dura y sólida»; también destaca la existencia de *roccia* en el mozárabe castellano y portugués. Respecto a sus variantes, **Rocamora**, del latín medieval *rocca maura*, «roca o castillo de moros»; **Rocha**, en algunos casos derivado del francés *roche* o del mozárabe *roccia*, y en otros, de *rochar* («limpiar la tierra de matas»), del latín *ruptiare* («romper»); **Roche**, forma antigua de *roca*; y **Rocafort**, del latín medieval *rocca fortis*, «roca fuerte», «roca fortificada».

Orígenes

Apellido procedente de los reinos de Cataluña y Aragón, donde se hallan las primeras noticias del mismo. En sus crónicas, mosén Jaume Febrer menciona al valeroso soldado Guillermo Roca, oriundo de Francia, que protegió el castillo de Montesa de los ataques del rey de Castilla. Por su valor, lo llamaron «Roca de Montesa». También menciona a Pedro de Roca, que participó en la conquista de Murcia. Destaca la casa solariega de Camprodón (Girona), cuyo progenitor, Bernardo Roca, obtuvo privilegio de nobleza por merced del rey Pedro IV de Aragón en 1360.

Otras notables casas catalanas se establecieron en Figueres, Castelló d'Empúries, Fortià y Pujals dels Cavallers, en Girona, así como en Vilafranca del Penedès (Barcelona). Posteriormente, las ramas se extendieron a Mallorca, Valencia, Alicante, Murcia, Galicia y América.

Armas

En campo de plata, un águila de sable y cortado de gules con una roca de plata.

Antecesores destacados

JUAN NEPOMUCENO ROCA DE TOGORES Y ESCORCIA. Señor de las baronías de Riudoms y Benejúzar, fundador y primer señor de la Daya Vieja en la huerta de Orihuela. Fue caballero de Justicia de la orden de San Juan, maestrante de Valencia y gentilhombre de cámara del rey. Recibió el título de conde de Pinohermoso, con grandeza de España, en 1793.

Rodrigo

APELLIDOS RELACIONADOS: Rodríguez, Rodrigues, Rodrejo, Ruy, Rui, Ruibal, Ruiz, Rupérez, Ruipérez, Ruigómez.

Etimología

Nombre de pila usado como apelativo, del antiguo nombre medieval *Roderico*, del germánico *Roderich*, «jefe ilustre», «caudillo poderoso», compuesto por *hrod* («fama») y *ric* («poderoso»). Debe su difusión al último rey visigodo en España (s. VII-VIII). Respecto a sus variantes, **Rodríguez**, patronímico de Rodrigo; **Ruy** y **Rui**, hipocorísticos; **Ruiz**, patronímico de Ruy; **Ruibal**, compuesto por el hipocorístico Ruy y algún apellido como Baltasar; **Ruipérez** y **Rupérez**, aglutación de Ruy Pérez; y **Ruigómez**, aglutinación de Ruy Gómez.

Orígenes

Apellido vasco, concretamente de la zona de Vizcaya, desde donde pasó a toda la península Ibérica.

Armas

Escudo bandado de seis piezas, tres de oro y tres de gules; bordura jaquelada de plata y azur.

Antecesores destacados

JOSÉ RODRIGO VILLALPANDO, MARQUÉS DE LA COMPUESTA. Político español, según parece nacido en Zaragoza en el s. XVII. Fue lugarteniente de la corte de Justicia y, en 1713, Felipe V lo nombró embajador en París. Más tarde pasó a ejercer como secretario de Gracia y Justicia, función desde la que negoció el concordato con la Santa Sede (1737).

Rodríguez

APELLIDOS RELACIONADOS: Rodrigues, Rodrigo, Rodrejo, Ruy, Rui, Ruibal, Ruiz, Rupérez, Ruipérez, Ruigómez.

Etimología

Véase **Rodrigo**.

Orígenes

Apellido patronímico, derivado del nombre propio Rodrigo. Tuvo varias casas solares de gran importancia, que fueron el origen de las diversas ramas existentes en la península Ibérica, en América y en Filipinas. Se tiene por casa solar más antigua la de Padrón (Galicia). Su nobleza se probó en las Reales Chancillerías de Valladolid y Granada, en la Real Audiencia de Oviedo y en las más conocidas órdenes militares. En 1538, el emperador Carlos I concedió escudo de armas a D. Diego Rodríguez, vecino de Cuzco (Perú). Descendientes con este apellido se han distinguido en todas las actividades de la humanidad: militares, navegantes, titulados de sangre real, gobernantes, caballeros de la Reconquista, hombres de las ciencias y de las letras, etc.

Armas

En campo de gules, un aspa de oro, acompañada en cada hueco de una flor de lis de plata.

Antecesores destacados

RODRÍGUEZ DE LA CÁMARA. Poeta español, se cree que nacido en Padrón a finales del s. XIV. Probablemente fue paje de Juan II y, con toda seguridad, estuvo al servicio del cardenal Cervantes. La leyenda le atribuye amores por una dama de la nobleza, quien lo rechazó, por lo que el poeta marchó a llorar sus penas a los montes de Galicia. Es autor de *Triunfo de las donas*, un elogio apasionado de las mujeres.

GARCI RODRÍGUEZ DE MONTALVO. Escritor castellano de fines del s. XV y principios del s. XVI. Fue regidor de Medina del Campo. Es el refundidor del texto antiguo del *Amadís de Gaula* y autor de su continuación, titulada *Las sergas de Esplandián*.

Rojas

APELLIDOS RELACIONADOS: Rojo, Rojel, Roig, Roges, Roget, Rojals, Rubio, Rubia, de la Rubia, Rubias, Rubial, Rubiales, Rubianes, Rubiera, Rubí, Robí, Rubinos, Rubiños, Rubió, Rubinat, Ros, Roso, Rosell, Rossell.

Etimología

Del latín *russeus*, «rubio», «rojo», se debe tal vez a un apodo de familias de mujeres pelirrojas («las Rojas»). Palabra casi inexistente en el castellano medieval, cuando se empleaba *bermejo*, pero usado a partir del s. XVI para designar tonalidades más claras que las que denota en la actualidad. Respecto a sus variantes, **Rosell** y **Rossell**, del latín *rusellus*, diminutivo de *russus*, «rojizo». Véase también **Rubio**.

Orígenes

Apellido andaluz, oriundo de Antequera (Málaga), una de cuyas ramas pasó al continente americano. En 1688, el rey Carlos II concedió el título de conde de Rojas a D. Francisco González de Aguilar y Rojas, caballero de la orden de Santiago.

Armas

En campo de oro, cinco estrellas de azur.

Antecesores destacados

SANCHO DE ROJAS. Eclesiástico español, nacido a fines del s. XIV. Fue canónigo de Burgos y obispo de Astorga y Palencia. Fue nombrado regente de las provincias del norte de Castilla y, en 1415, arzobispo de Toledo. Se encargó de diversas misiones diplomáticas en nombre de Juan II.

JUAN DE ROJAS SARMIENTO. Noble español del s. XVI, segundo hijo del primer marqués de Poza. Estuvo residiendo en Flandes, en donde estudió astronomía con Gemma de Frisia.

Roldán

APELLIDOS RELACIONADOS: Roglà, Rotllan, Rullán.

Etimología

Nombre del famoso paladín de Carlomagno, muerto en Roncesvalles en el año 778. Deriva del germánico *Hruotland*, compuesto por *hruot* («fama») y *land* («país»), y por tanto, «famoso en su patria». El nombre evolucionó a Rolando y fue confundido con Orlando (de *ort*, «espada»).

Orígenes

Apellido oriundo de Zaragoza; una rama pasó a tierras andaluzas y fundó casas solariegas en Jaén y Córdoba.

Armas

Escudo de azur, sembrado de flores de lis de oro; bordura de oro con cinco águilas de sable.

Antecesores destacados

FRANCISCO ROLDÁN. Marino español, nacido en Moguer en 1462. En 1493 marchó con Colón a América, como mayordomo y proveedor de la armada, y nombrado por éste alcalde mayor de la Isabela. Murió de regreso a España, durante la travesía (1502).

Román

APELLIDOS RELACIONADOS: Roma, Romano, San Román, Romaní, Romay, Romanones, Romans, Romanyà, Santromà, Sanromà, Romero, Romer, Romeo, Romeu, Romea, Borromeo.

Etimología

Del latín *romanus*, «habitante o natural de Roma», derivado a su vez del etrusco *rumi*,

«popa de un barco», por la forma de la isla tiberina o porque la primitiva ciudad se asomaba sobre el Tíber como la popa de una nave. También se ha propuesto la etimología del antiguo nombre del Tíber, *Rumon*, cuya raíz indoeuropea equivale a «fluir». Respecto a sus variantes, **Romanyà**, del gentilicio *Romanianus*. Véase también **Romero**.

Orígenes

Apellido castellano, con casa fundacional en Ocaña (Toledo).

Armas

En campo de oro, una cruz floreteada de gules acompañada de cuatro flores de lis de azur; bordura de gules con ocho aspas de oro.

Antecesores destacados

PERO ROMÁN. Hidalgo del s. XIII que, de las montañas de Burgos, se puso al servicio del rey Jaime I de Aragón, con quien colaboró en la batalla del puerto de Muradal. Luchó con tal tesón que el mismo monarca le concedió que añadiese a su escudo de armas una de las barras de Aragón.

Romero

APELLIDOS RELACIONADOS: Romer, Romeo, Romeu, Romea, Borromeo, Román, Roma, Romano, San Román, Romaní, Romay, Romanones, Romans, Romanyà, Santromà, Sanromà.

Etimología

Del bajo latín *romaeus*, «peregrino». Aplicado primero a los occidentales que cruzaban el Imperio de Oriente en peregrinación a Tierra Santa, y posteriormente, a los peregrinos que iban a Roma o a Santiago. Respecto a sus variantes, **Romeo**, con la misma significación y etimología, se documenta como antropónimo en documentos navarros de los s. XII y XIII; y **Borromeo**, contracción de *bon romeo*, «buen romero». Véase también **Román**.

Orígenes

Apellido aragonés, que se extendió por Galicia y el resto de la península Ibérica. Probó nobleza en las órdenes de Santiago, Calatrava, San Juan de Jerusalén y Carlos III, y en la Real Chancillería de Valladolid.

Armas

En campo de gules, dos lobos andantes, de plata, puestos en palo; bordura de oro, con seis matas de romero, de sinople.

Antecesores destacados

R

JULIÁN ROMERO. Militar español del s. XVI. Tomó parte en la batalla de San Quintín (1557). Con el grado de capitán, estuvo al mando del tercio de Sicilia que se dirigió a los Países Bajos para integrarse en el ejército del duque de Alba. Junto con otros capitanes, impidió que los rebeldes se apoderaran de Amberes (1576).

Rubio

APELLIDOS RELACIONADOS: Rubia, de la Rubia, Rubias, Rubial, Rubiales, Rubianes, Rubiera, Rubí, Robí, Rubinos, Rubiños, Rubió, Rubinat, Rojas, Rojo, Rojel, Roig, Roges, Roget, Rojals, Ros, Roso, Rosell, Rossell.

Etimología

Del latín *rubeus*, «rojizo», cuya acepción derivó más tarde a «color similar al del oro». Como topónimo, se aplicó a tierras caracterizadas por dichas tonalidades, y como nombre propio figura en documentos de los s. XII-XIII. Respecto a sus variantes, **Rubiales**, aplicado también al campo donde se cría la rubia, planta tintórea; **Rubí**, del bajo latín *rubinus*, derivado de **rubeus**, que dio la forma catalana *robí* para designar la piedra preciosa; y **Rubinos** y **Rubiños**, derivados de Rubí. Véase también **Rojas**.

Orígenes

Apellido originario de Asturias, donde existen dos antiguas casas solariegas: en Cañamar y en los alrededores de Gijón. Es posible que proceda de un sobrenombre o mote, que obviamente se refería a un individuo de cabellos rubios. Varias ramas del linaje se extendieron por la península Ibérica (Laredo, Navarra, Aragón, Extremadura, Almería) y pasaron al continente americano. El caballero Pascual Rubio participó en la toma de Baeza, por lo que Fernando III lo premió con tierras y heredades.

Armas

En campo de plata, un árbol de sinople, y en el tronco, un escudete de azur, con cinco panelas de oro.

Antecesores destacados

JOAQUÍN RUBIÓ I ORS. Erudito catalán, nacido en Barcelona en 1818. Catedrático de historia en Valladolid, publicó algunos manuales de historia y estudios literarios. Publicó poesías catalanas de gusto romántico con el seudónimo Lo gayter del Llobregat.

Rueda

APELLIDOS RELACIONADOS: Roda, Rodero, Rodés.

Etimología

Forma moderna de Roda, del latín *rota*, «rueda», aunque algunos topónimos, como Roda de Andalucía (Sevilla), proceden del árabe *rutba*, «lugar de cobro de impuestos por el ganado». Respecto a sus variantes, **Rodero**, aplicado a cualquier operario relacionado con una rueda: conductor de un carro, encargado de una rota o mesón...; y **Rodés**, forma catalana de Rodero.

Orígenes

Apellido castellano, de las montañas de Burgos, desde donde se extendió por el resto de la península Ibérica.

Armas

En campo de sinople, seis ruedas de carro de oro.

Antecesores destacados

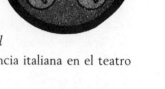

LOPE DE RUEDA. Dramaturgo andaluz, nacido en Sevilla hacia el 1500, aunque durante algún tiempo residió en Valencia. Su producción puede dividirse principalmente en comedias, coloquios pastoriles y pasos (*La carátula, El rufián cobarde...*), que representan el triunfo de la influencia italiana en el teatro español de la época.

R

Rui3

APELLIDOS RELACIONADOS: Ruy, Rui, Ruibal, Rupérez, Ruipérez, Ruigómez, Rodríguez, Rodrigues, Rodrigo, Rodrejo.

Etimología

Véase **Rodrigo**.

Orígenes

Apellido muy extendido por toda la península Ibérica y América, aunque sus casas solariegas no guardan relación entre sí. Destacan las casas fundadas en Asturias, Cantabria, Alcarria, País Vasco, Toledo, Andalucía y Navarra. Diversos linajes probaron nobleza en las órdenes militares de Calatrava, Alcántara, Montesa, Santiago, San Juan de Jerusalén y Carlos III, y también en las Reales Chancillerías de Valladolid y Granada, en la Real Audiencia de Oviedo y en la Real Compañía de Guardias Marinas.

Armas

En campo de plata, una barra; bordura jaquelada de oro y gules.

Antecesores destacados

SIMÓN RUIZ. Miembro de una familia de banqueros castellanos que destacó en el s. XVI por sus empréstitos a la Corona. Nacido en 1525, tuvo que someterse a una prueba de limpieza de sangre en 1569. Nombrado proveedor de fondos de Felipe II, salvó a éste del desastre proporcionándole letras de cambio para el pago de las tropas de Flandes. Financió la construcción del hospital de Medina del Campo y murió en 1597.

FERNANDO RUIZ DE CASTRO. Noble gallego, primogénito de la familia Castro de Galicia. Sirvió fielmente al rey Pedro I de Castilla y participó en la batalla de Nájera en 1367. Expulsado después de la paz de Alcoutim, pasó a Inglaterra, donde falleció en 1375.

S

Sáez

APELLIDOS RELACIONADOS: Sáenz, Sáinz, Sanz, Santos, de Santos, de los Santos, Losantos, Sants, Sans, Sancho, Sánchez, Sancha, Sanchís, Sanchis, Sanchos, Sance, Sances, Sansot, Sanxo.

Etimología

Véase **Sancho**.

Orígenes

Apellido originario de La Rioja, que luego se extendió por toda la península Ibérica. Una antigua casa solariega aparece en Nestares (Cantabria). El apellido probó hidalguía y pureza de sangre en las órdenes militares de Santiago, Calatrava, Alcántara y San Juan de Jerusalén, en la Real Chancillería de Valladolid y en la Real Compañía de Guardias Marinas. Diversos descendientes han ocupado cargos de importancia, tanto militar como religiosa.

Armas

En campo de oro, un árbol de sinople; partido de gules con tres bandas de oro. Bordura de plata con ocho armiños de sable.

Antecesores destacados

José Sáenz de Aguirre. Prelado y escritor español, nacido en Logroño en 1630. Benedictino y profesor de teología en Salamanca, presidió la congregación española de San Benito de Valladolid y fue secretario del tribunal del Santo Oficio. Escribió una *Defensa de la Santa Sede* e Inocencio X lo premió nombrándolo cardenal.

Salas

APELLIDOS RELACIONADOS: Sala, Sales, Lasala, de la Sala, Sa, Salelles, Saavedra, Salavedra, Salazar, Salaverri, Salaberría, Salabarría.

Etimología

Derivado del germánico *salla*, «edificio que se compone sólo de una gran pieza de recepción», «aposento de grandes dimensiones», y por extensión, «caserío viejo», «edificio». Respecto a sus variantes, **Saavedra** y **Salavedra**, del latín medieval *salla vetera*, «sala vieja»; **Salelles**, diminutivo; **Salaverri**, **Salaberría** y **Salabarría**, del vasco *sal(h)a* («casa», «palacio») y el adjetivo *berri* («nuevo»), por tanto, «casa nueva»; y **Salazar**, del vasco *sal(h)a* y el adjetivo *zar* («viejo»), por tanto, «casa vieja».

Orígenes

Apellido asturiano, que se extendió por toda la península Ibérica, hasta Andalucía, y llegó a América, fundando casa solar en Buenos Aires.

Armas

En campo de oro, un castillo de piedra, y saliente del homenaje, un león al natural, asomando medio cuerpo y la cola; y tres veneras de plata, una en cada flanco y otra en punta.

Antecesores destacados

Carlos Salas. Escultor español (Barcelona 1728-Zaragoza 1788), estudió en Madrid y fue director de escultura de la Academia de San Luis, en Zaragoza. Entre sus obras más conocidas figuran varios relieves y esculturas en la capilla de Santa Tecla de la catedral de Tarragona y el *Calvario* del panteón real de San Juan de la Peña.

Salazar

APELLIDOS RELACIONADOS: Sa, Saavedra, Salavedra, Salaverri, Salaberría, Salabarría, Salas, Sala, Sales, Lasala, de la Sala, Salelles.

Etimología

Véase **Salas**.

Orígenes

Apellido castellano, del valle burgalés del mismo nombre. Pasó a la conquista de Cuenca, donde fundó nueva casa solar, y luego se extendió por toda la península Ibérica y pasó a América. Otros tratadistas sitúan la casa solariega de este apellido en Sevilla, fundada por Diego de Velasco y Mendieta, capitán de los Tercios Reales, que contrajo matrimonio con D.ª Úrsula Ramón de Salazar, oriunda de Asturias.

Armas

En campo de gules, trece estrellas de oro.

Antecesores destacados

PEDRO DE SALAZAR. Historiador español del s. XVI. Ostentó el grado de capitán y fue cronista de Carlos V y de Felipe II. Escribió algunas obras sobre la conquista del norte de África.

AGUSTÍN DE SALAZAR Y TORRES. Poeta español (Almazán 1642-Madrid 1675). Se educó en México, en cuya universidad estudió leyes y teología. Volvió a España al servicio del duque de Alburquerque, a quien siguió como capitán en Alemania y Sicilia. El volumen titulado *Citara de Apolo* (1681) incluye sus poemas de corte gongorino y diversas comedias.

Salcedo

Etimología

Del latín *salicetum*, «sauceda», «lugar poblado de sauces», derivado del latín *salix, salicis*, «sauce».

Orígenes

Apellido derivado de la casa de los Ayala vascos. Los Salcedo formaron parte de la nobleza titulada al ostentar el señorío de Gijón, el condado de Asturias y el gobierno general del Principado de Asturias, y entroncaron con casas ilustres de España. El apellido probó nobleza en las órdenes de Alcántara, Montesa, Calatrava, San Juan de Jerusalén y Santiago, como también en la Real Chancillería de Valladolid.

Armas

En campo de plata, un sauce arrancado, de sinople, cargado el tronco de un escudete de oro con cinco panelas de sinople, puestas en sotuer.

Antecesores destacados

JUAN DE SALCEDO. Conquistador español, nacido en México en 1549. Nieto de Legazpi, fue uno de los caudillos militares de la conquista de Filipinas. Exploró la bahía de Manila y participó en la ocupación de la isla de Luzón, conquistando Ilocos y Cagayan (1572). Luego derrotó a los piratas chinos que amenazaban Manila. Falleció en 1576.

Salinas

APELLIDOS RELACIONADOS: Salado, Saler, Salat, Salí, Saliner, Salinero, Salera, Salmarri, Simorra.

Etimología

«Lugar donde se beneficia la sal de las aguas marinas o de ciertos manantiales», del latín *salinae*, «mina de sal». Respecto a sus variantes, **Salado**, participio pasivo de *salar*, que sustituyó al latín *sallire* o *sallere*, «terreno estéril por demasiado salitroso», y también, figuradamente, «gracioso», «chistoso»; **Saler**, de *salarium*, «depósito de sal»; y **Salmarri** y **Simorra**, referidos a «salmorra» o «salmuera».

Orígenes

Algunos tratadistas ubican la casa solar primitiva en Salinas (Asturias), cuyos componentes fueron señores de Avilés, y otros consideran que es un apellido de origen navarro, derivado de la villa del mismo nombre, en el partido judicial de Estella. Posteriormente se extendió por Castilla. Algunos descendientes prestaron grandes servicios a la Corona, tanto en la península Ibérica como en América, acompañando a los conquistadores. Consta la hidalguía del apellido en los padrones de Concejo, en Asturias, y se probó nobleza en la Real Chancillería de Valladolid y en diversas órdenes militares.

Armas

Escudo partido: 1º, en campo de oro, seis roeles, los cinco de abajo, de gules, y el alto, de azur, en jefe, tres flores de lis de plata; y 2º, en campo de azur, un puente de plata, superado de un castillo de oro.

Antecesores destacados

FRANCISCO SALINAS. Organista y teórico musical español (Burgos 1513-Salamanca 1590). Ciego desde su infancia, estudió el órgano y humanidades y estuvo al servicio de la capilla del duque de Alba, virrey de Nápoles, en 1553. Fue organista de la catedral de León y ocupó la cátedra de música en la Universidad de Salamanca.

Salvador

Etimología

Del latín *salvator, salvatoris*, «que da salud», se utilizó como nombre para referirse a Jesucristo, Salvador del mundo.

Orígenes

Apellido castellano, originario de Soria, descendiente de uno de los doce linajes nobles de la ciudad. Posteriormente, una rama pasó a Aragón, y otra, a Cataluña, primero en Calella y luego en la ciudad de Barcelona.

Armas

En campo de oro, un águila de sable.

Antecesores destacados

JUAN SALVADOR Y RIERA. Farmacéutico y botánico (Badalona 1683-1726). Estudió en Montpellier y París, y fue alumno de Tournefort. Formó parte de las expediciones francesas para estudiar las plantas de España y Portugal.

Sánchez

Etimología

Patronímico de Sancho. Véase **Sancho**.

Orígenes

Apellido de ilustre linaje en el antiguo reino de Navarra, con señorío propio y con privilegios y derechos otorgados por diversos monarcas en premio por proezas de valor y pruebas de lealtad. Desde el norte de España, el apellido se extendió por Asturias

(Ribadesella), Cantabria (Trasmiera), Castilla, La Mancha, Aragón (Borja), Valencia, Galicia, Extremadura (Alburquerque) y Andalucía. Consta como caballero troncal el rey Sancho García, cuyos descendientes, grandes capitanes durante la Reconquista, entroncaron en diferentes ocasiones con otras casas principales de los antiguos reinos hispánicos. Las crónicas hablan de Sancho Sánchez, caballero que participó en la toma de Barbastro (Huesca) en el año 1100. José Antonio de Sánchez, conde de Premio Real, fue cirujano de D. Diego Sánchez de Baños, señor de San Esteban de Gormaz.

Armas

En campo de gules, un castillo de plata, aclarado de sable, superado de una estrella del mismo metal; partido de sinople, con un brazo armado, de plata, que lleva en la mano una cinta de plata con la salutación angélica, en letras de sable, «Ave Maria gratia plena».

Antecesores destacados

FERNANDO SÁNCHEZ DE TOVAR. Marino español del s. XIV. Almirante mayor de Castilla, intervino en la guerra de los Cien Años contra Inglaterra. En 1374, acompañado de Jean de Vienne, llevó a cabo un peligroso asalto a la isla de Wight, y en 1377 saqueó varios puertos ingleses. En recompensa por sus brillantes servicios, Juan I le concedió el mayorazgo de Belves. En 1382 se puso al servicio de Carlos VI de Francia, y murió de peste en el cerco de Lisboa (1384).
CLEMENTE SÁNCHEZ DE VERCIAL. Escritor español (1370-1426). Arcediano de Valderas, fue autor de un tratado de liturgia (Sacramental) y del Libro de los exemplos, colección de apólogos a la manera de los Alphabeta exemplorum medievales.

Sancho

APELLIDOS RELACIONADOS: Sánchez, Sancha, Sanchís, Sanchis, Sanchos, Sance, Sances, Sansot, Sanxo, Sáez, Sáenz, Sáinz, Sanz, Santos, de Santos, de los Santos, Losantos, Sants, Sans.

Etimología

Del latín *sanctius*, derivado de *sanctus*, «sagrado», «santo», voz aplicada a *Sanco*, una de las divinidades más antiguas del ciclo de Júpiter y dios garante del juramento, con templo en el Quirinal romano donde se custodiaban los tratados. Con el advenimiento del cristianismo, fue considerado «santo» aquel que era perfecto y estaba libre de toda culpa, y más tarde, aquel a quien la Iglesia, por tales méritos, canoniza y eleva al culto universal. Respecto a sus variantes, **Sánchez**, patronímico de Sancho; **Sanz**, forma castellanizada de Sans o Sants; **Sáenz**, variante de San(tos), con apariencia de patronímico; y **Santos**, nombre piadoso, evocador de la festividad de Todos los Santos.

Orígenes

Apellido cántabro, del valle de Santillana, una de cuyas ramas llegó a Murcia.

Armas

En campo de plata, una cruz floreteada de gules, acompañada de cuatro roeles de lo mismo; partido de sinople, un castillo de piedra con una escala arrimada a sus muros, y encima de la torre, un cerdo de oro.

Antecesores destacados

PEDRO SANCHO DE LA HOZ. Cronista y conquistador español del s. XVI. Secretario de Pizarro, continuó la crónica de Estete que relata la conquista de Perú. Recibió su parte del rescate de Atahualpa y volvió a España con grandes riquezas (1534). Luego se arruinó y tomó parte en la expedición de Valdivia a Chile, pero fue ejecutado por éste en 1547 ante el intento de sustituirlo en la capitanía.

Sanz

Etimología

Véase **Sancho**.

Orígenes

S

Su origen se sitúa en la región de la Vera navarra, siendo caballero troncal el infante Fortún Sanz de Vera. Una importante rama pasó a Aragón, estableciendo casa solar en las montañas de Jaca (Huesca) y otra, al antiguo reino de Valencia, tras ser conquistada la ciudad por el rey Jaime I de Aragón, que otorgó al caballero múltiples privilegios. El apellido probó nobleza ante la Real Chancillería de Valladolid y con motivo del ingreso en las órdenes militares de Alcántara, Montesa, Calatrava y Santiago.

Armas

En campo de plata, una banda de azur de tres piezas; bordura de azur.

Antecesores destacados

GASPAR SANZ. Compositor y guitarrista español, nacido en Calanda en 1640. Estuvo al servicio del virrey de Nápoles y fue maestro de guitarra de Juan de Austria. Su *Instrucción de música sobre la guitarra española* (1674), uno de los únicos libros conservados de música instrumental del s. XVII, contiene numerosas canciones y danzas populares, junto con datos históricos y técnicos.

Serrano

Etimología

Véase **Sierra**.

Orígenes

Apellido castellano, con casa solar en las montañas de Burgos, fundada por Martín González «el Serrano», cuidador del conde Fernán González. Sus descendientes extendieron el apellido por toda la península Ibérica: Ávila, Navarra, Aragón, Castilla-La Mancha, Albacete, Murcia...; muchos de ellos probaron su nobleza, como lo atestigua el ingreso en la orden militar de Santiago en 1625, en la Real Chancillería de Granada en 1520 y en la de Ronda en 1862. El apellido pasó a América, destacando la rama de Córdoba (Argentina).

Armas

En campo de azur, un castillo de oro; partido de sinople, una banda de oro, engolada en dragantes del mismo metal y acompañada de cuatro estrellas, también de oro, dos a cada lado.

Antecesores destacados

FRANCISCO SERRANO, DUQUE DE LA TORRE. Militar y político español, nacido en Isla de León en 1810. Su fama arranca de su actuación durante la primera guerra carlista (1833-1840). Se sumó al pronunciamiento de Espartero, quien lo nombró mariscal de campo, aunque luego no vaciló en sumarse al pronunciamiento moderado-progresista que acabaría con la regencia de aquél. Sostuvo relaciones amorosas con la reina Isabel II, pero debió aceptar el cargo de capitán general de Granada. Tuvo una vida política muy agitada y llegó a autoconcederse la presidencia del estado tras la liquidación de la Primera República. Murió en Madrid en 1885.

Sierra

APELLIDOS RELACIONADOS: Sierras, Lasierra, Serra, Serres, Serras, Serrador, Serrán, Serrano, Serranos, Serrato, Serrat, Serrats, Serrà, Serrahima, Serralta.

Etimología

Del latín *serra*, «instrumento de serrar», y de ahí, en sentido metafórico, «cordillera de montes peñascosos o cortados». Respecto a sus variantes, **Serrano**, «persona que habi-

ta en una sierra», aunque algunos casos pueden derivar del latín *Sarranus*, «tirio», «natural de Tiro (ciudad fenicia)»; **Serrat**, del latín *serratus*, «serrado»; **Serrato**, en aragonés, «montículo»; **Serralta**, «sierra alta»; y **Serrahima**, del latín *serra ima*, «sierra baja».

Orígenes

Apellido asturiano, muy extendido por toda la península Ibérica. Una rama pasó a Burgos, y otra, a Cataluña.

Armas

En campo de gules, tres bandas de sinople perfiladas de oro.

Antecesores destacados

JUSTO SIERRA O'REILLY. Escritor y político mexicano, nacido en Tixcacaltuyú (Yucatán) en 1814. Intervino en el convenio entre el gobierno central y Yucatán, y negoció algunos puntos referentes a la guerra con Estados Unidos. Fue diputado del Congreso de la Unión y juez especial de Hacienda en Campeche. Creó y dirigió cuatro periódicos, en los cuales insertó algunas novelas por entregas. Murió en 1861.

Silva

APELLIDOS RELACIONADOS: de Silva, Silvas, Silvera, Silvar, Silveiro, Silveira, Silván, Silvela, Silverio, Silvestre, Selva, Selves, Salvà, Salvany.

Etimología

Del latín *silva*, «bosque», «selva»; con el tiempo se ha ido extendiendo esta segunda acepción, definida como «terreno extenso, inculto y de espesa vegetación». Respecto a sus variantes, **Silvela**, diminutivo, del latín *siluuala*; **Silvestre**, nombre de pila, del latín *silvestris*; y **Salvà**, del latín *silvanus*, «habitante de la selva».

Orígenes

Apellido oriundo de Portugal, descendiente de Silvio, pretor de Lusitania en tiempos de Nerón. Otros tratadistas afirman que el apellido procede del príncipe godo Alderedo, conde palatino en tiempos del rey Ramiro I, cuyo descendiente, Gutierre Alderete de Silva, del s. X, entroncó con la nobleza española. También se cree que el origen del linaje se remota al s. X, cuando Pelayo Fruela, señor de Silva, casó con una hija de Bermudo II. De esta rama se derivarían catorce casas nobiliarias, repartidas por toda la península Ibérica. Durante los reinados de Carlos V y Felipe II, la poderosa rama de los Silva de Toledo originó frecuentes perturbaciones en esta ciudad.

Armas

En campo de oro, un león rampante de púrpura coronado de oro.

Antecesores destacados

JUAN DE SILVA. Diplomático español, nacido en Toledo en 1528. Felipe II le nombró embajador en Lisboa; en el desempeño de este cargo se ganó la confianza del rey Sebastián, a quien acompañó en la batalla de Alcazarquivir. Tras la muerte del cardenal-infante Enrique, trabajó por la causa españolista en las cortes de Thomar (1581), por lo que Felipe II le concedió el título de conde de Portalegre. Falleció en 1601.

Fernando de Silva y Álvarez de Toledo. Militar del s. XVIII, 12º duque de Alba y grande de España. Fue embajador en Francia y miembro del Consejo de Estado. Murió en 1776.

Soler

Apellidos relacionados: Solé, Soley, Solís, Solano, Solana, Solanas, Solanillas, Solà, Solans, Solanes, Solanas, Solanell, Solanich.

Etimología

Del latín *solarium*, derivado a su vez de *solum*, «base», «suelo». Otros estudiosos han apuntado la etimología *sol, solis*, referido al astro rey. Respecto a sus variantes, **Solana**, del latín *solanum*, «terreno donde da el sol»; **Soley**, del latín *soliculus*, diminutivo reverencial del sol; y **Solís**, probable plural deformado de Soler.

Orígenes

Apellido catalán, oriundo del Rosellón, con casa solar en Barcelona; luego se extendió a Valencia y a Aragón.

Armas

Escudo cortado: 1º, en campo de azur, un sol de oro; y 2º, en campo de gules, un castillo de oro.

Antecesores destacados

Joan Soler. Arquitecto catalán, de Barcelona (1731-1794). Fue arquitecto mayor de la ciudad y realizó numerosos trabajos de ingeniería en Cataluña (puentes, obras hidráulicas). Como arquitecto, su principal obra fue la remodelación neoclásica de la lonja de Barcelona.

Soria

Apellidos relacionados: Soriano, Súria.

Etimología

Derivado de la ciudad del mismo nombre, la antigua *Augustobriga*, llamada *Oria* o *Uria* por los celtíberos. Respecto a sus variantes, **Soriano**, gentilicio; y **Súria**, voz probablemente prerrománica y actual localidad catalana.

Orígenes

Apellido aragonés, con casa solar en Tarazona; una rama pasó a Valencia.

Armas

Escudo cuartelado: 1º y 4º, en campo de gules, un castillo de oro; y 2º y 3º, en campo de azur, una flor de lis de plata.

Antecesores destacados

MARTÍN DE SORIA. Pintor de actividad documentada en Aragón entre 1471 y 1487. Entre sus trabajos destacan el retablo de *San Cristóbal*, procedente del monasterio de Piedra, y el retablo de Pallaruelo de Monegros (Huesca).

Soto

Apellidos relacionados: Sotos, Souto, Soutos, Sota, Sotes, Sotera, Soteras, Soteres, Sotelo, Sotillo, Sotillos, Sotil, Sotomayor.

Etimología

Del latín *saltus*, y de ahí, *sautu* y *souto*. Del sentido original de «salto» pasó a significar «pasaje estrecho» o «paso en las montañas»; como estos lugares frecuentemente están

cubiertos de bosques o pasturas, se convierte en «terreno boscoso o de pasturas». Respecto a sus variantes, **Sotelo**, diminutivo gallego; y **Sotomayor**, aumentativo.

Orígenes

Apellido castellano, muy extendido por toda la península Ibérica, hasta Andalucía. El apellido probó nobleza en diversas ocasiones en las órdenes de Calatrava, Santiago, Alcántara, Carlos III y San Juan de Jerusalén, así como en la Real Chancillería de Valladolid, en la Real Audiencia de Oviedo y en la Real Compañía de Guardias Marinas.

Armas

En campo de azur, un águila exployada, palada de cuatro piezas de oro y gules; bordura de gules, con ocho candados abiertos de sable.

Antecesores destacados

DOMINGO DE SOTO. Teólogo español (Segovia 1494-Salamanca 1570). Profesó en la orden de Santo Domingo en Burgos y desempeñó en Salamanca la cátedra de vísperas de teología. En 1545, Carlos V le envió al concilio de Trento como teólogo imperial, posteriormente le nombró su confesor, y en 1549 le ofreció el obispado de Segovia, que no aceptó.

Suárez

APELLIDOS RELACIONADOS: Juárez, Suero, Sueira, Sueiras, Soárez, Soares.

Etimología

Patronímico de Suero. A partir de *Suaris* o *Suarici*, se ha apuntado una etimología germánica en el antiguo genitivo *Swarjis*, de *swar–* («pesado», «grave»). Otros prefieren derivarlo del latín *sutor*, «el que cose», del verbo *suere*, «coser», «remendar». Del *sutor* como zapatero, la voz habría decaído y se habría convertido en mote para el populacho. Véase también **Juárez**.

Orígenes

Apellido cuyas casas fundacionales más antiguas se ubican en las montañas de Cantabria. Posteriormente, el apellido se extendió a Asturias, León, Castilla, Talavera, Andalucía... Numerosos caballeros probaron nobleza en las órdenes militares de Alcántara, Calatrava, Santiago, Carlos III y San Juan de Jerusalén, y en las Reales Chancillerías de Valladolid y Granada. En 1548 se concedió escudo de armas al capitán Alonso Suárez, por sus servicios prestados en la conquista del Nuevo Reino de Granada. A comienzos del s. XVIII, los Suárez de Figueroa, que ostentan el título de duques de Feria, enlazaron con los de Medinaceli.

Armas

En campo de oro, dos torres de piedra, puestas en faja sobre una terraza de sinople, y saliendo de cada torre, un águila volante de sable.

Antecesores destacados

CRISTÓBAL SUÁREZ DE FIGUEROA. Escritor vallisoletano de fines del s. XVI y principios del s. XVII. Logró que el gobernador de Milán lo nombrase auditor de las tropas españolas de Piamonte, y en 1623, el duque de Alba, virrey de Nápoles, lo nombró auditor de Lecce. Fue luego auditor de Catanzaro, juez de Capua y fiscal de Trani, pero se vio envuelto en procesos y fue excomulgado y preso varias veces. Destacó sobre todo como prosista, con una obra teñida de acerbas críticas y sarcásticas reflexiones, como en *El pasajero* (1617).

Talavera

APELLIDOS RELACIONADOS: Talaverón.

Etimología

Derivado de la villa del mismo nombre, en la provincia de Toledo. Antigua *Caesarobriga* romana, el geógrafo árabe El Edris la llamó *Talvira* (quizá de *Talabriga*). Se ha apuntado que el prefijo *tala–* signifique «pueblo».

Orígenes

Apellido castellano, que posteriormente se extendió por Extremadura y Andalucía con el militar Lucas Pérez de Talavera, quien tomó parte en la conquista del archipiélago canario y fue el tronco de las ramas extendidas por las islas y por América.

Armas

En campo de gules, una banda de oro, y en el vacío bajo, cinco estrellas de oro, mal ordenadas.

Antecesores destacados

HERNANDO DE TALAVERA. Eclesiástico español del s. XV. Entró en la orden jerónima, en la que fue prior del monasterio del Prado (Valladolid). En 1465 fue llamado a ser confesor de la reina Isabel. Obispo de Ávila en 1485, presidió luego la junta de Salamanca, examinadora del proyecto colombino. En 1492 fue nombrado arzobispo de Granada, cargo en el que actuó con tolerancia respecto a judíos y musulmanes, lo que le condujo a sufrir persecución inquisitorial, pero fue rehabilitado por Julio II.

Tamarit

APELLIDOS RELACIONADOS: Tamariz.

Etimología

Este apellido catalán se ha relacionado con el tamariz o taray, planta medicinal *(Tamarix gallica)*, del árabe *tarfe*.

Orígenes

Apellido catalán, aunque algunos creen que deriva remotamente del nombre de la divinidad celta Tama, que derivó en Tamar. Según la tradición, Phares de Tamara vino a España, cruzando los Pirineos, hasta Cataluña, y su descendencia se extendió por Castilla, donde aún existen restos de edificaciones en las actuales Tamara, Tamarit, Tamariz y Tamarite. A Tamarit de Astudillo (Palencia) se le concedió el título de villa de patronazgo por los Reyes Católicos. Una de sus ramas pasó a Honduras y Perú, y otra, a Colombia, donde estableció casa solar.

Armas

Escudo partido: 1º, en campo de oro, un león rampante, al natural, coronado de oro, y bordura de ocho piezas, de sable; y 2º, en campo de plata, un león rampante, de azur, coronado de oro.

Antecesores destacados

FRANCESC DE TAMARIT. Político catalán del s. XVII, elegido diputado del brazo militar o noble de la Generalitat. En 1639 comandó el ejército catalán que recuperó Salces. Acusado por el conde-duque de Olivares de no entregar a la hacienda real las rentas de la Generalitat, Felipe V ordenó su encarcelamiento, aunque fue liberado por el pueblo en una rebelión general (1640). Durante la guerra de secesión de Cataluña, intervino en la batalla de Montjuïc y en la defensa de Barcelona.

Tapia

APELLIDOS RELACIONADOS: Tapias, Tapial, Tàpia, Tàpies, Tapioles, Tapiola, Tapis.

Etimología

Del hispanolatino *tapia*, «cada uno de los trozos de pared que se hacen de una sola vez con tierra apisonada en una horma», quizá formada con *tap*, onomatopeya del apisonamiento.

Orígenes

De origen asturiano, este antiguo apellido tiene por fundador a Alfonso Cuervo de Tapia, de sangre real. Sus descendientes fueron ricoshombres, con prerrogativas ducales,

según indican numerosos documentos depositados en el convento de Santa Oña y diversas crónicas de los archivos de la orden de San Benito. Pedro Peláez de Tapia fundó el monasterio de Santiago y Pelayo Pérez Cuervo de Tapia fue condestable del rey D. Sancho. Una de sus ramas pasó a Trujillo (Cáceres) y, posteriormente, a Cuba.

Armas

En campo de plata, tres fajas de azur; bordura de gules, con siete aspas de oro, y en lo más alto, una flor de lis de plata.

Antecesores destacados

EUGENIO DE TAPIA. Escritor español (Ávila 1776-Madrid 1860). Se adscribió a los grupos políticos más progresistas y durante las Cortes de Cádiz fue director de *La gaceta*. Con el gobierno liberal de 1820 fue diputado por Ávila y director de la Imprenta Nacional. Tras exiliarse de 1823 a 1831, en 1843 pasó a dirigir la Biblioteca Nacional.

Tejeiro

APELLIDOS RELACIONADOS: Tejero, Teijeiro, Tejeira, Teijeira, Tejera, Tejerina, Texeira, Teixeira, de la Teixeira, Tejada, Tejeda, Tejedo, Tejerón, Tejeros, Tejerizo, Teulada, Teulats, Teuleria, Telleche, Tellechea, Tellería.

Etimología

Forma gallega de Tejedor, «persona que tiene por oficio tejer», del latín *texere*, «tejer»; los etimólogos también han significado el apellido como «sitio donde se fabrican tejas y ladrillos», del latín *tegula* («teja», «tejado»), y éste a su vez del verbo *tegere* («cubrir»). Respecto a sus variantes, **Telleche** y **Tellechea**, del vasco *te(i)lla* («teja») y *etxe* («casa»), es decir, «la casa con tejas»; y **Tellería**, variante propia de la fonética vasca, equivalente a Tejera.

Orígenes

Apellido gallego, cuya casa solar se cree que fue fundada por Pedro Gómez de Teijeiro, adelantado de Galicia, en el señorío de dicho nombre. De este caballero es nieto Pedro

José Teijeiro, a quien se le concedió el marquesado de Villasante y el cargo de gentilhombre del rey. Diversos descendientes desempeñaron cargos importantes y entroncaron también con casas de alta alcurnia y realeza. La rama de Teijeira (Orense) que pasó a Portugal se denominó De la Teixeira y otra rama llegó a las islas Canarias.

Armas

En campo de oro, un águila de sable, coronada, siniestrada de un tejo de sinople.

Antecesores destacados

José Teixeira. Dominico portugués, nacido en Lisboa en 1543. Confesor del infante Antonio, le apoyó contra Felipe II después de la muerte de Sebastián I. Tuvo que huir a Francia (1582), donde fue confesor de Enrique III y Enrique IV. Escribió en latín un *Resumen de la historia de Portugal*. Falleció en París en 1601.

Tizón

Etimología

Del latín *titio, titionis*, «palo a medio quemar», y figuradamente, «con la fama oscurecida o manchada». Este antiguo nombre propio ya se documenta en el s. XII (una de las espadas del Cid Campeador se llamaba *Tizona*).

Orígenes

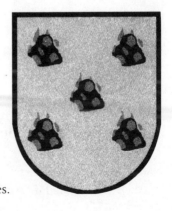

Apellido aragonés, se cree que derivado de Aznar. El caballero troncal del linaje fue D. Pedro Tizón de Quadrey y Pelegrín de Castellzuelo, cuyos descendientes destacaron en las campañas de la Reconquista. Una de sus muchas ramas se estableció en Murcia y otra en Andalucía, y sus descendientes gozaron de hidalguía. Pedro Tizón fue quien se alzó contra la pretensión al trono de Castilla del ricohombre D. Pedro de Atares.

Armas

En campo de oro, cinco tizones de sable, ardiendo y puestos en sotuer.

Antecesores destacados

ARTOS TIZÓN. Pintor español del s. XVI, nacido en Murcia. Trabajó con los Ayalas para la iglesia de Santiago de Jumilla, pintando todas las tablas del retablo de la capilla de los Lozanos. El resto de obras que se le atribuyen son dudosas, como el *Crucifijo* de la capilla del Santo Cristo del Milagro de la catedral de Murcia.

Tomás

APELLIDOS RELACIONADOS: Tomasa, Tomé, Tomeo, Tomei, Tomey, Santomá, Santomé, Tomàs, Thomàs.

Etimología

Nombre de pila usado como apellido, del arameo *Thoma*, «gemelo», «mellizo», que se helenizó como *Didymos*. Se aplicó como sobrenombre a uno de los apóstoles, llamado en realidad Judas. Respecto a sus variantes, **Tomé**, forma antigua y gallega de Tomás, pero también de Teodomiro, del nombre germánico *Theude-mir*, compuesto por *theud*, «pueblo», y *miru*, «ilustre».

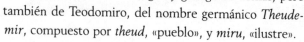

Orígenes

Apellido aragonés, una de cuyas ramas pasó a Murcia.

Armas

Tres bandas de gules, en campo de oro, y orla de gules con ocho aspas de oro.

Antecesores destacados

NARCISO TOMÉ. Arquitecto y escultor español del s. XVIII. Tras trabajar en la fachada de la Universidad de Valladolid, en 1721 marchó a Toledo, donde ostentó el cargo de maestro mayor de la catedral. La construcción del famoso «Transparente», un escenográfico conjunto de arquitectura, relieve y color para iluminar el sagrario de la capilla mayor, le valió el contrato del altar de la catedral de León (1740).

Torre

APELLIDOS RELACIONADOS: la Torre, Latorre, de la Torre, Torres, de Torres, de las Torres, Torras, Torrero, Torreros, Torreiro, Torrasa, Torrijo, Torrijos, Torronteras, Torrejón, Torrecilla, Torrecillas, Torralba, Torroba, Torroja, Tortajada, Satorre, Satorra, Satorres, Satorras, Torrella, Torrelles, Torrellas, Torroella, Torrat, Torremocha, Dorronsolo, Dorronsoro.

Etimología

Del latín *turris*, «edificio más alto que ancho, antiguamente destinado a la defensa». La gran difusión de estas edificaciones favoreció la existencia de numerosos derivados como topónimos. Respecto a sus variantes, **Torrero**, «el que tiene a su cuidado una atalaya o un faro»; **Torrejón**, «torre pequeña o mal formada»; **Torroba** y **Torralba**, del latín *turris alba*, «torre blanca»; **Tortajada**, «torre cortada»; **Torroella**, del latín *turricella*, «torrecilla»; **Torremocha**, «la torre roma», con *motx*, diminutivo de *motz* («romo», «corto»); **Dorronsolo** y **Dorronsoro**, «heredad del torrejón»; **Torrijo**, del latín *tourriculum*, diminutivo; y **Torroja**, «torre roja».

Orígenes

Apellido castellano, con casas solariegas en Segovia, Burgos, Santander y Vizcaya, así como en León y Galicia, aunque éstas no se consideran fundacionales. Probó nobleza en las órdenes militares de Calatrava, Montesa, San Juan de Jerusalén y Santiago. Fernando de la Torre fue comendador de Ocaña en la orden de Santiago, y otro Fernando de Torre, gran maestre de la misma orden. Una rama pasó posteriormente a Argentina.

Armas

En campo de sable, un castillo de oro, acompañado de dos tortillos de azur, perfilados de oro, y cargado cada uno de una flor de lis del mismo metal; bordura de gules, con ocho aspas de oro.

Antecesores destacados

BERNARDO DE LA TORRE. Navegante español de los s. XV-XVI. En 1527 participó en la expedición a las islas de las Especias, dirigida por Álvaro de Saavedra, que a causa de una tormenta, tuvo que anclar en una isla habitada por papúes, Urais la Grande, desde la cual remontó y exploró la línea equinoccial.

ALFONSO DE LA TORRE. Escritor español del s. XV. Aunque estudió en Salamanca, pasó a la corte de Navarra, donde alcanzó el favor del preceptor del príncipe de Viana. Es autor de *Visión delectable de la filosofía y artes liberales*, obra filosófica que alcanzó fama por su originalidad y excelente estilo.

Torres

APELLIDOS RELACIONADOS: de Torres, de las Torres, Torras, Torre, la Torre, Latorre, de la Torre, Torrero, Torreros, Torreiro, Torrasa, Torrijo, Torrijos, Torronteras, Torrejón, Torrecilla, Torrecillas, Torralba, Torroba, Torroja, Tortajada, Satorre, Satorra, Satorres, Satorras, Torrella, Torrelles, Torrellas, Torroella, Torrat, Torremocha, Dorronsolo, Dorronsoro.

Etimología

Véase **Torre**.

Orígenes

Apellido castellano, de gran solera y probada hidalguía, cuyos descendientes ingresaron en las órdenes de Santiago, Calatrava, Montesa, Alcántara y San Juan de Jerusalén. Este apellido se dio en gran número de judíos conversos que se bautizaron ante la orden de expulsión dictada por los Reyes Católicos.

Armas

En campo de azur, cinco torres de plata puestas en sotuer.

Antecesores destacados

FERNANDO TORRES Y PORTUGAL, CONDE DE VILLAR DON
PARDO. Administrador español del s. XVI, nacido en
Jaén. En 1584, Felipe II lo nombró virrey del Perú,
cargo desde el cual aceleró las obras de fortificación
de El Callao. Tras el terremoto de 1586 se vio obligado a decretar el racionamiento de cereales, hasta ser
sustituido por el marqués de Cañete (1590).

Trujillo

APELLIDOS RELACIONADOS: Trujillos.

Etimología

Originario de la ciudad del mismo nombre, en la provincia de Cáceres, la antigua
Turgelium romana, y ésta a su vez del árabe *Turgala*.

Orígenes

Apellido aragonés, que se extendió por toda la península Ibérica.

Armas

Escudo cuartelado: 1º y 4º, en campo de oro, cuatro barras de gules; y 2º y 3º, en
campo de oro, trece tortillos de azur, puestos 3-3-3-3-1. Bordura de gules, con ocho
aspas de oro.

Antecesores destacados

DIEGO TRUJILLO. Conquistador e historiador español, nacido en Trujillo (Cáceres) en 1505. Formó parte de la
expedición de Pizarro a Perú. Posteriormente, por in-
dicación del virrey Francisco de Toledo, escribió *Relaciones del descubrimiento del Reyno del Perú* (1571),
importante crónica de la conquista del imperio incaico.

Valero

Etimología

Topónimo y nombre de pila usado como apellido, del latín *Valerius*, «Valerio», y éste a su vez del verbo *valere*, «ser fuerte», «tener fuerza o poder», por lo que el topónimo se aplicó a un lugar fortificado. Respecto a sus variantes, **Valencia**, del latín *valentia* («vigor»), derivado de *valere*; **Valenzuela**, diminutivo de Valencia, con el sufijo latino *–olus*; **Valiente** y **Valentín**, derivados de *Valente*, antropónimo latino de *valens, valentis*, «fuerte».

Orígenes

Apellido valenciano, una de cuyas ramas pasó a Baleares.

Armas

En campo de oro, un ala de sable.

Antecesores destacados

PEDRO VALERO DÍAZ Y ARSENIO DE PRADAS. Político y jurisconsulto del s. XVII, natural de Teruel. Fue regente del Consejo de Nápoles (1656), veedor general de Sicilia y justicia mayor de Aragón. Escribió *Defensa de estado y de justicia contra el designio manifiestamente descubierto de la monarquía universal* (1667).

Valladares

Etimología

Derivado de *vallado*, del latín *vallatus*, participio del verbo *vallare*, «cerrar con empalizada», «fortificar». Origen del nombre de varias poblaciones que inicialmente constituyeron una plaza fuerte.

Orígenes

Apellido gallego, de las cercanías de Pontevedra. Esta noble casa solar procede del hijo del rey D. Fruela, el conde Román de Valladares, cuyos descendientes se extendieron por la península Ibérica y la sucesión dio origen a las casas de los Lugo, Fajardo, Pereira y Novoa, y también pasó a Portugal y América. Payo Suárez de Valladares se distinguió al servicio del rey Fernando III el Santo, a quien acompañó en la conquista de Sevilla.

Armas

Escudo jaquelado de oro y azur en ochenta piezas.

v

Antecesores destacados

JOSÉ SARMIENTO Y VALLADARES, CONDE DE MOCTEZUMA Y DE TULA. Administrador español de los s. XVII-XVIII, casado con una descendiente de Moctezuma. Fue nombrado virrey de México en 1696.

Valle

APELLIDOS RELACIONADOS: Val, del Valle, Delvalle, Lavalle, Valles, Vall, Valls, Vallès, Ovalle, Oballe, Aballe, Valbona, Balbuena, Valbuena, Balboa, Vallejo, Valverde.

Etimología

Del latín *vallis* o *valles*, «valle», «cañada», nombre que compone infinidad de topónimos. Respecto a sus variantes, **Val**, forma contracta; **Vallejo**, del latín *valliculus*, diminutivo; **Vallès**, forma catalana, «de un valle»; y **Valverde**, del latín *vallis* y *viridis* («verde»), «valle verde». Véase también **Balbuena**.

Orígenes

Apellido de las montañas de Cantabria, extendido posteriormente por toda la península Ibérica y Baleares. Sus miembros probaron nobleza en diversas ocasiones en las

órdenes de Santiago, Alcántara, Calatrava, Carlos III y San Juan de Jerusalén, en la Real Audiencia de Oviedo y en la Real Chancillería de Valladolid.

Armas

En campo de oro, un roble de sinople y un lobo de sable, pasante, al pie del tronco; bordura de plata con ocho cabezas de águila de sable chorreando sangre.

Antecesores destacados

PEDRO VALLES. Cronista aragonés, nacido en Sariñena a principios del s. XVI, nieto de Nebrija. Sacerdote, en 1549 publicó un *Libro de refranes*. Su obra histórica comprende una biografía del marqués de Pescara y una adición a la crónica de los Reyes Católicos de Hernando del Pulgar.

GARCÍA DE VALVERDE. Administrador español del s. XVI. Pasó a América como fiscal de la Audiencia de Santa Fe. Fue oidor de Quito y de Lima, presidente de la Audiencia de Quito y capitán general de Guatemala y Nicaragua. Rechazó diversos ataques ingleses, entre ellos el de Drake de 1582.

Vargas

Etimología

De *warga*, palabra antigua y de diversos significados. En la variante mozárabe significó «choza», probablemente un celtismo emparentado con el irlandés *barc* («casa de madera»); sin embargo, la variante propiamente castellana parece derivar de la acepción de «lugar cercado».

Orígenes

Apellido castellano, una de cuyas ramas se extendió a Belchite (Zaragoza).

Armas

En campo de plata, tres fajas ondeadas de azur.

Antecesores destacados

GARCI PÉREZ DE VARGAS. Caballero español del s. XIII, conocido por Vargas Machuca. Ponderado por romances y crónicas por su valor y fortaleza (se dice que acababa con sus enemigos a golpes de palo, de ahí su apodo), participó en la conquista de Sevilla con Fernando III.

Vázquez

APELLIDOS RELACIONADOS: Vasco, Basco, Bascó.

Etimología

Patronímico de Vasco, derivado de la forma *vascón* («natural de la Vasconia»), y ésta a su vez del latín *Vascones*.

Orígenes

Apellido asturiano, con casa solar en Prada, en el valle de Proaca, desde donde se extendió por Castilla y el resto de la península Ibérica. Varios descendientes probaron nobleza al ingresar en diversas órdenes militares, como Calatrava, Santiago y Montesa, y también en la Real Chancillería de Valladolid, en la Real Audiencia de Oviedo y en la Real Compañía de Guardias Marinas.

Armas

En campo de gules, un castillo de oro.

Antecesores destacados

FRANCISCO VÁZQUEZ DE CORONADO. Explorador español, nacido en Salamanca en 1510. De familia hidalga, abandonó sus estudios de humanidades para ir a Nueva España con el virrey Mendoza (1535). Gobernador de Nueva Galicia (1538), favoreció la expedición hacia el golfo de California y el Gran Cañón del Colorado, hasta llegar a los actuales estados de Texas, Oklahoma y Kansas (1542). La expedición constituyó un fracaso colonizador, pero un gran avance geográfico.

Vega

Etimología

«Tierra baja, bien regada y fértil», de la forma original *(i)baika*, «tierra a orillas de una corriente de agua», claramente emparentada con el vasco *ibai*, «río».

Orígenes

Apellido originario de las montañas cántabras, que luego se extendió por Asturias y el resto de la península Ibérica. Varios de sus descendientes probaron nobleza en las órdenes militares de Carlos III, Alcántara, Calatrava, Santiago, San Juan de Jerusalén y Montesa, en la Real Chancillería de Valladolid y en la Real Audiencia de Oviedo.

Armas

En campo de oro, la salutación angélica «Ave Maria gratia plena» en letras de sable.

Antecesores destacados

JUAN DE VEGA. Militar y político español del s. XVI. Formó parte de la expedición contra Túnez y La Goleta, y fue embajador ante la Santa Sede y virrey de Sicilia (1547-1557). También ocupó interinamente la presidencia del Consejo de Castilla.

ALONSO DE LA VEGA. Dramaturgo español del s. XVI. Se sabe que en 1560 vivía en Sevilla, donde actuaba en la compañía de Lope de Rueda. De sus obras, editadas en 1566, se conservan *Tragedia serafina*, *Comedia tolomea* y *La duquesa de la rosa*.

Velázquez

APELLIDOS RELACIONADOS: Velasco, Blasco, Blázquez, Balasc, Balach, Belascoain.

Etimología

Patronímico de Velasco. Véase **Blasco**.

Orígenes

Apellido castellano. En 1819, el rey Fernando VII concedió el marquesado de Valdeflores a Francisco Velázquez y Angulo, señor de Valdeflores.

Armas

Escudo de plata con trece roeles de azur; bordura de gules con ocho aspas de oro.

Antecesores destacados

DIEGO DE VELÁZQUEZ. Conquistador español, nacido en Cuéllar en 1465. Llegó a América en 1493. Fundó la primera población colonial cubana, Baracoa, y en 1517 patrocinó la expedición de Hernández de Córdoba a la costa del Yucatán.

Vera

Etimología

Del latín *ora*, de donde derivó *uera* (*ab ora*, «junto a la orilla»), aplicado al «terreno en forma de vega que se halla entre algunas sierras y ríos». Otros etimólogos apuntan a la raíz indoeuropea *bher–* («canto», «borde»), de donde derivaría la voz portuguesa *beira*.

Orígenes

Apellido aragonés. En 1793, el rey Carlos IV concedió el título de duque de la Roca a D. Vicente María Vera de Aragón y Enríquez de Navarra, capitán general de los ejércitos.

Armas

Escudo de seis órdenes de veros; bordura de gules con ocho aspas de oro.

Antecesores destacados

DIEGO DE VERA. Militar español de los s. XV-XVI. Alcalde mayor de Badajoz, capitaneó la infantería española que asedió Nápoles (1503) y dirigió la expedición que fue derrotada por Barbarroja frente a Argel. En 1521 capituló en Fuenterrabía ante los ingleses. Publicó *Memorial de las cosas de artillería y munición*.

v

Vidal

APELLIDOS RELACIONADOS: Vidales, Vidals, Vidaller, Vives, Vivas, Vivar, Vivó.

Etimología

Del nombre de pila Vital, del latín *vitalis*, «vital», «sano», y éste a su vez de *vita*, «vida»; procede de una evolución de la raíz indoeuropea *guem*, «venir al mundo», «nacer», por

lo que se aplicaba como expresión de larga vida para un recién nacido. Respecto a sus variantes, **Vives** y **Vivas**, del latín *vivas*, «(deseo) que vivas», imperativo del verbo *vivere*, «vivir»; y **Vivar**, del latín vulgar *vivare*, y éste a su vez del latín vulgar *vivarium*, «lugar para conservar animales vivos (especialmente conejos)».

Orígenes

Apellido catalán, con casa solar en Barcelona; posteriormente pasó a Valencia y Baleares.

Armas

En campo de gules, un águila de plata coronada de oro.

270

Antecesores destacados

RAIMON VIDAL DE BESALÚ. Trovador catalán en lengua provenzal, cuya producción se sitúa entre 1212 y 1252. Además de poesía lírica, escribió en prosa un tratado de gramática provenzal, la primera gramática conocida en una lengua romance.

Villa

APELLIDOS RELACIONADOS: la Villa, Lavilla, de la Villa, Villas, Villar, Vilar, Vila, Vilalta, Villegas, Villares, Villarejo, Villariño, Villaescusa, Villalba, Villalobos, Villanueva, Villanova, Villarreal, Villarroel, Villarroya, Villatoro, Capdevila, Soldevila.

V

Etimología

Del latín *villa*, «casa de campo», aunque posteriormente su uso se ha extendido a «casa de lujo», y luego, a «población» o «ciudad». El diminutivo de *vicus* («aldea»), en su forma femenina, *vicula* («aldea pequeña»), se contra en *vic-la* y se eufoniza en *villa* o *vila*. Respecto a sus variantes, **Vila**, forma catalana y gallega de Villa; **Villaescusa**, de *villa escusa*, «villa excusada (del pago de ciertos impuestos)»; **Vilalta**, con el latín *altus*, «villa situada en alguna eminencia del terreno»; **Villalba**, de *villa alba*, «villa blanca»; **Villalobos**, «villa de los lobos» o, quizá, de *villalbos*, «villa blanca»; **Villatoro**, del latín *Villa Gothorum*, «villa de los godos»; **Villarejo** y **Villariño**, diminutivos de Villar; **Villarroel**, variante de Villarreal, aplicado a las poblaciones del patrimonio real, sin adscripción al patrimonio nobiliario o eclesiástico; **Villarroya**, «villa rojiza», con el latín *rubeus*, «rojizo»; **Capdevila**, «la parte más alta de la villa»; y **Soldevila**, «la parte más baja de la villa». Véanse también **Villar**, **Villanueva** y **Villegas**.

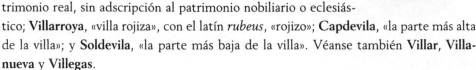

Orígenes

Apellido originario de las montañas cántabras, que luego se extendió por toda la península Ibérica. En 1723, el archiduque Carlos de Austria concedió el título de marqués de Villa a D. Antonio de Villa. En Cataluña y Galicia, el apellido adoptó la forma Vila.

Armas

En campo de oro, un águila de sable picada de plata, con el pecho atravesado por una saeta de plata.

Antecesores destacados

PEDRO ALBERTO VILA. Organista y compositor catalán, nacido en Vic (Barcelona) en 1517. Organista de la catedral de Barcelona (1538-1582), fue nombrado canónigo. En 1561 publicó una colección de madrigales, aunque también se han conservado tientos, ensaladas, motetes y un *Magnificat*.

V

Villanueva

APELLIDOS RELACIONADOS: Villanova, Villa, la Villa, Lavilla, de la Villa, Villas, Villar, Vilar, Vila, Vilalta, Villegas, Villares, Villarejo, Villariño, Villaescusa, Villalba, Villalobos, Villarreal, Villarroel, Villarroya, Villatoro, Capdevila, Soldevila.

Etimología

Aglutinación del latín *villa* y el latín *nova*, «villa nueva», aplicado a las poblaciones de nueva fundación o a los barrios separados de los núcleos antiguos. Véase **Villa**.

Orígenes

Apellido originario de Aragón, pero se extendió por toda la península Ibérica y llegó a América. En el año 1531, el emperador Carlos I concedió escudo de armas a D. Alonso de Villanueva, vecino de Tenochtitlán (México).

Armas

Escudo cuartelado: 1º y 4º, en campo de azur, una flor de lis de oro; y 2º y 3º, en campo de gules, una estrella de oro.

Antecesores destacados

JERÓNIMO DE VILLANUEVA. Político español del s. XVII, miembro de una familia de origen aragonés. Fue pronotario del Consejo de Aragón (1620) y uno de los principales consejeros del conde-duque de Olivares. La caída de éste determinó su propio ostracismo político: fue destituido de todos sus cargos y recibió uno secundario en el Consejo de Indias. En 1644 fue detenido por la Inquisición acusado de participar en el escándalo de las monjas del convento de San Plácido.

Villar

APELLIDOS RELACIONADOS: Vilar, Villa, la Villa, Lavilla, de la Villa, Villas, Vila, Vilalta, Villegas, Villares, Villarejo, Villariño, Villaescusa, Villalba, Villalobos, Villanueva, Villanova, Villarreal, Villarroel, Villarroya, Villatoro, Capdevila, Soldevila.

v

Etimología

«Arrabal de una villa», «pueblo pequeño», del bajo latín *villaris*, «población», derivado de *villa*, «villa». Véase **Villa**.

Orígenes

Apellido originario de Galicia, donde se encuentran diversas casas solares, aunque luego pasó a Asturias (El Fresno, Castropol), León, ambas Castillas, Aragón (Daroca) y América. Numerosos descendientes con este apellido probaron nobleza en las órdenes militares de Calatrava y Santiago, sobre todo durante la primera mitad del s. XVIII.

Armas

En campo de azur, una flor de lis de oro entre veneras del mismo metal.

Antecesores destacados

MANUEL VILAR. Escultor catalán, nacido en Barcelona en 1812.
Formado en Barcelona e Italia, en 1846 se trasladó a Mé-

xico como profesor de la recién creada Academia de San Carlos. Gracias a sus enseñanzas se formó en México la primera promoción de escultores autóctonos.

Villegas

APELLIDOS RELACIONADOS: Villa, la Villa, Lavilla, de la Villa, Villas, Villar, Vilar, Vila, Vilalta, Villares, Villarejo, Villariño, Villaescusa, Villalba, Villalobos, Villanueva, Villanova, Villarreal, Villarroel, Villarroya, Villatoro, Capdevila, Soldevila.

Etimología

Originario de la villa del mismo nombre, en la provincia de Burgos; constituye una variante de Villa mediante la inclusión del sufijo *–ecus*. Véase **Villa**.

Orígenes

Apellido cántabro, de las montañas de Santillana, donde se fundó la primitiva casa solar. Luego se extendió por toda la península Ibérica y una rama pasó a América. Los caballeros descendientes probaron nobleza ante la Real Chancillería de Valladolid (1771), y en los capítulos de las órdenes de Santiago (1703) y Calatrava (1784). Los descendientes con este apellido se han distinguido en literatura, filosofía y las artes en general.

Armas

En campo de plata, una cruz floreteada de sable y, en torno a ella, ocho calderas de sable que tienen por asas dos cabezas de sierpe de sinople.

Antecesores destacados

PEDRO VILLEGAS MARMOLEJO. Pintor español del s. XVI, uno de los pintores más notables de la escuela sevillana de esa época, inspirada por Luis de Vargas. Se conservan obras suyas en Sevilla, como el retablo de la *Visitación*, en la catedral, y la *Virgen de los Remedios*, en la iglesia de San Vicente.

Yáñez

APELLIDOS RELACIONADOS: Yáñiz, Yanes, Yánez, Ibáñez, Ibañes, Ybáñez, Santibáñez, Juan, Juanes, de Juan, Juanas, de Juanes, San Juan, Sanjuan, Joan, Santjoan, Joanet, Joanic, Jovany, Jubany, Juantegui, Juanena, Juarena, Seoane, Xoán.

Etimología

Patronímico de Juan en su forma medieval *Iván* o *Ibán*, contraído de Ibáñez. Véanse **Ibáñez** y **Juanes**.

Orígenes

Apellido castellano, aunque se cree oriundo de Portugal, con casa solar en Setúbal, lugar de procedencia de Martín Yáñez de la Barbada, maestre de Alcántara y gran privado del rey Juan I de Castilla. El apellido se extendió luego a Aragón, Vizcaya, Levante y el resto de la península Ibérica, y posteriormente pasó a América: el navegante Martín Alonso Yáñez Pinzón acompañó a Cristóbal Colón al mando de la carabela *Pinta*; su hermano, Vicente Yáñez Pinzón, comandaba la carabela *Niña* y descubrió la desembocadura del Amazonas; y Martín Yáñez Tafur recorrió gran parte de las tierras inexploradas del nuevo continente.

Armas

En campo de plata, un león de gules arrimado a una columna de azur; bordura de gules con ocho flores de lis de oro.

Antecesores destacados

FERNANDO YÁÑEZ DE LA ALMEDINA. Pintor manchego, activo en Valencia y Cuenca en el primer tercio del s. XVI. Junto con Fernando de Llanos, influyó decisivamente en los artistas valencianos de la época al introducir allí la primera corriente de renovación basada en la pintura italiana del Renacimiento. Realizó buena parte del retablo mayor de la catedral de Valencia, y también diversas pinturas para la catedral de Cuenca.

Zamora

APELLIDOS RELACIONADOS: Zamorano.

Etimología

Tiene su origen en la ciudad del mismo nombre, con diversas teorías sobre su etimología: del árabe *Madina zumura*, «ciudad esmeraldina», por el verdor de sus campos regados por el Duero; de *Oceludusum*, antigua población de vacceos citada por Ptolomeo; o de *Semure* o *Senimure*, una de las iglesias de la diócesis de Astorga, documentada a finales del s. VI.

Orígenes

Apellido con casa solar en Irún (Guipúzcoa), de donde una rama pasó a Aragón.

Armas

En campo de oro, un castillo de piedra; bordura de azur con ocho estrellas de oro.

Antecesores destacados

ALONSO DE ZAMORA. Religioso e historiador español, natural de Santa Fe de Bogotá (1635). Provincial de los dominicos en su tierra natal, en 1671 fue nombrado visitador. Es autor de un tratado que, en el s. XVIII, constituyó una de las principales fuentes para el estudio de la historia de Colombia.

Cómo
encontrar
su apellido

En esta relación figuran casi 2.000 apellidos, los más frecuentes en España y en Hispanoamérica. Para conocer la etimología y el origen de un apellido en concreto, el lector debe dirigirse en primer lugar al epígrafe indicado tras la flecha (→), en donde encontrará la información que precisa. En **negrita**, los epígrafes principales.

Abad
Abadal → Abad
Abade → Abad
Abades → Abad
Abadía → Abad
Abadías → Abad
Aballe → Valle
Abat → Abad
Abato → Abad
Abel
Abela → Abel
Acebedo → Acevedo
Acebes → Acevedo
Acebillo → Acevedo
Acebo → Acevedo
Acero
Aceveda → Acevedo
Acevedo
Acévez → Acevedo
Acosta
Aguada → Aguado
Aguado
Aguas
Agudín → Agudo
Agudo
Aguedero → Aguado
Agüero
Aguiar → Aguilar
Águila → Aguilar

Aguilar
Aguilella → Aguilar
Aguilera → Aguilar
Agut → Agudo
Aibar
Aivar → Aibar
Alarco → Alarcón
Alarcón
Alarcos → Alarcón
Albar → Álvarez
Albares → Álvarez
Alcalá
Alcalay → Alcalá
Alcázar → Alcocer
Alcet → Encina
Alcina → Encina
Alcocer
Alcolea → Alcalá
Aldaluz → Aldama
Aldama
Aldán → Aldama
Aldana → Aldama
Aldeano → Aldama
Aldecoa → Aldama
Alegre
Alegret → Alegre
Alfonseca → Alonso
Alfonsín → Alonso
Alfonso → Alonso

Alonso
Alpuente → Puente
Alsina → Encina
Alsinet → Encina
Álvarez
Álvaro → Álvarez
Alvero → Álvarez
Alzet → Encina
Amado → Amat
Amador → Amat
Amat
Amengual → Menéndez
Andrada → Andrés
Andradas → Andrés
Andrade → Andrés
Andrés
Andreu → Andrés
Andrey → Andrés
Ángel
Ángela → Ángel
Angelina → Ángel
Antolí → Antón
Antolín → Antón
Antón
Antonio → Antón
Antoñanzas → Antón
Antúnez → Antón
Aparici → Aparicio
Aparicio

Aragó → Aragón
Aragón
Aragonés → Aragón
Aragonza → Aragón
Aranda
Arandiaga → Aranda
Arando → Aranda
Arango → Aranda
Aranguren → Aranda
Araucoa → Araujo
Arauco → Araujo
Araujo
Áreas → Arias
Arena → Arenas
Arenal → Arenas
Arenales → Arenas
Arenas
Arenaza → Arenas
Areny → Arenas
Ares → Arias
Arias
Armengol → Menéndez
Armengou → Menéndez
Armengué → Menéndez
Arnáiz → Arnau
Arnal → Arnau
Arnaldo → Arnau
Arnalot → Arnau
Arnau
Arnús → Arnau
Arrollo → Arroyo
Arroya → Arroyo
Arroyo
Arroyos → Arroyo
Ávila
Ávilas → Ávila
Avilés → Ávila

Badal → Abad
Badía → Abad
Badías → Abad
Badiola → Abad
Báez → Páez
Balach → Blasco
Balasc → Blasco
Balboa → Balbuena

Balbuena
Balcázar → Alcocer
Ballesta → Ballester
Ballester
Ballestero → Ballesteros
Ballesteros
Baltrán → Beltrán
Baptista → Bautista
Barnadas → Bernal
Barnola → Bernal
Barriada → Barrios
Barri → Barrios
Barrio → Barrios
Barrionuevo → Barrios
Barrios
Barris → Barrios
Basco → Vázquez
Bascó → Vázquez
Bascuñana → Gascón
Batista → Bautista
Bautista
Bautiste → Bautista
Belalcázar → Alcocer
Belascoain → Blasco
Bel → Bello
Bella → Bello
Bellas → Bello
Bellido → Bello
Bello
Belló → Bello
Belloch → Bello
Bellpuig → Puig
Beltrà → Beltrán
Beltrán
Beltrana → Beltrán
Beltranena → Beltrán
Benedicto → Benito
Benedid → Benito
Beneito → Benito
Benet → Benito
Benítez
Benito
Bermejo
Bermell → Bermejo
Bermillo → Bermejo
Bermúdez

Bermudo → Bermúdez
Bermundo → Bermúdez
Bernada → Bernal
Bernadas → Bernal
Bernadó → Bernal
Bernal
Bernáldez → Bernal
Bernaldo → Bernal
Bernaldos → Bernal
Bernales → Bernal
Bernardino → Bernal
Bernardo → Bernal
Bernartena → Bernal
Bernat → Bernal
Bernau → Bernal
Bernaus → Bernal
Bernola → Bernal
Bertrán → Beltrán
Bertrand → Beltrán
Besteiro → Ballester
Blanc → Blanco
Blanca → Blanco
Blancas → Blanco
Blanch → Blanco
Blanchart → Blanco
Blanco
Blanes → Blanco
Blanquer → Blanco
Blánquez → Blanco
Blanxart → Blanco
Bláquez → Blanco
Blasco
Blázquez
Bo → Bueno
Bofill → Bueno
Bona → Bueno
Bonaigua → Aguas
Bonet → Bueno
Bonilla → Bueno
Bonnín → Bueno
Bono → Bueno
Bonshoms → Bueno
Bonsoms → Bueno
Borromeo → Romero
Bosoms → Bueno
Branco → Blanco

Bretaño → Bretón
Breto → Bretón
Bretón
Bretones → Bretón
Bretons → Bretón
Brotón → Bretón
Brotons → Bretón
Buenagua → Aguas
Bueno
Buro → Burón
Burón
Bustamante
Bustelo → Bustamante
Bustelos → Bustamante
Bustillo → Bustamante
Busto → Bustamante
Bustos → Bustamante

Cabalgante → Caballero
Cabalín → Caballero
Caballé → Caballero
Caballeda → Caballero
Caballer → Caballero
Caballero
Caballeros → Caballero
Caballín → Caballero
Caballo → Caballero
Cabellero → Cabello
Cabello
Cabellos → Cabello
Cabra → Cabrera
Cabral → Cabrera
Cabrales → Cabrera
Cabras → Cabrera
Cabré → Cabrera
Cabredo → Cabrera
Cabrera
Cabreras → Cabrera
Cabrer → Cabrera
Cabrerizo → Cabrera
Cabrero → Cabrera
Cabriana → Cabrera
Cabrío → Cabrera
Cabrisas → Cabrera
Cabrisses → Cabrera
Cabronero → Cabrera

Caelles → Casas
Caldas → Calderón
Caldeiro → Calderón
Caldera → Calderón
Calderero → Calderón
Caldero → Calderón
Calderó → Calderón
Calderón
Calders → Calderón
Caldes → Calderón
Calduch → Calderón
Call → Calles
Calle → Calles
Calleja → Calles
Callejas → Calles
Calles
Callís → Calles
Calls → Calles
Calvano → Calvo
Calvar → Calvo
Calveiro → Calvo
Calvell → Calvo
Calvera → Calvo
Calveres → Calvo
Calvero → Calvo
Calvet → Calvo
Calvete → Calvo
Calvín → Calvo
Calvino → Calvo
Calviño → Calvo
Calvo
Calvó → Calvo
Camacho
Camí → Camino
Caminal → Camino
Caminals → Camino
Caminero → Camino
Camino
Caminos → Camino
Camins → Camino
Camp → Campos
Campabadal → Campos
Campaña → Campos
Campello → Campos
Campero → Campos
Campí → Campos

Campillo → Campos
Campiña → Campos
Campmany → Campos
Campo → Campos
Campomanes → Campos
Campos
Camps → Campos
Campuzano → Campos
Cano
Canós → Cano
Canosa → Cano
Cánovas → Casas
Cantallops → López
Canuda → Cano
Canut → Cano
Capdevila → Villa
Carbó → Carbonell
Carbonell
Carboneras → Carbonell
Carbonero → Carbonell
Carbons → Carbonell
Carmona
Carrasca → Carrasco
Carrascal → Carrasco
Carrasco
Carrascosa → Carrasco
Carrasqueda → Carrasco
Carrasquilla → Carrasco
Carré → Carrión
Carrer → Carrión
Carrera → Carrión
Carreras → Carrión
Carrero → Carrión
Carreta → Carrión
Carrete → Carrión
Carreté → Carrión
Carreter → Carrión
Carretero → Carrión
Carril → Carrión
Carrillo
Carrió → Carrión
Carrión
Carro → Carrión
Carroz → Carrión
Casademont → Casas
Casadesús → Casas

Casado → Casas
Casal → Casas
Casales → Casas
Casals → Casas
Casanova → Casas
Casares → Casas
Casas
Casassas → Casas
Casasús → Casas
Caseiro → Casas
Caselles → Casas
Casero → Casas
Cases → Casas
Casillas → Casas
Casinello → Casas
Casino → Casas
Casona → Casas
Castán → Castaños
Castany → Castaños
Castanyer → Castaños
Castanys → Castaños
Castañé → Castaños
Castaneda → Castaños
Castañeda → Castaños
Castañeira → Castaños
Castañer → Castaños
Castañiza → Castaños
Castaño → Castaños
Castañón → Castaños
Castañondo → Castaños
Castaños
Castedo → Castillo
Castejón → Castro
Castel → Castillo
Castelao → Castillo
Castelar → Castillo
Castell → Castillo
Castellana → Castillo
Castellano → Castillo
Castellanos → Castillo
Castellón → Castillo
Castellote → Castillo
Castellvell → Castillo
Castiella → Castillo
Castillejo → Castillo
Castillejos → Castillo

Castillo
Castrejana → Castro
Castrejón → Castro
Castresana → Castro
Castrillón → Castro
Castro
Castros → Castro
Castroviejo → Castro
Casulleres → Casas
Catllar → Castillo
Caus → Calvo
Cavallé → Caballero
Cavaller → Caballero
Chaves
Chávez → Chaves
Chiner → Giner
Cifuentes → Fuente
Clement → Clemente
Clemente
Clemenzo → Clemente
Climent → Clemente
Climente → Clemente
Compte → Conde
Comte → Conde
Condado → Conde
Condal → Conde
Conde
Condes → Conde
Condesa → Conde
Contrera → Contreras
Contreras
Cortada → Cortés
Cort → Cortés
Cortés
Cortez → Cortés
Cortich → Cortés
Cortijo → Cortés
Cortils → Cortés
Corts → Cortés
Costa
Crehueras → Cruz
Crespi → Crespo
Crespí → Crespo
Crespillo → Crespo
Crespo
Crespos → Crespo

Creueres → Cruz
Creus → Cruz
Crous → Cruz
Cruces → Cruz
Crusat → Cruz
Cruz
Cruzada → Cruz
Cruzado → Cruz
Cruzat → Cruz
Cuesta
Cuestas → Cuesta

Dacruz → Cruz
Dávila → Ávila
de Benito → Benito
de Castro → Castro
de Diego → Díaz
de Ferrán → Ferrando
de Gracia → Gracia
de Juan → Juanes
de Juanes → Juanes
de Laiglesia → Iglesias
de León → León
de Lucas → Luque
de Miguel → Miguel
de Pablo → Polo
de Pablos → Polo
de Pedro → Pérez
de Prado → Prado
de Santiago → Díaz
de Santos → Sanz
de Silva → Silva
de Torres → Torres
de Vega → Vega
de la Calle → Calles
de la Calva → Calvo
de la Casa → Casas
de la Cruz → Cruz
de la Flor → Flores
de la Fuente → Fuente
de la Hidalga → Hidalgo
de la Iglesia → Iglesias
de la Madrid → Madrid
de la Mar → Marín
de la Peña → Peña
de la Plaza → Plaza

de la Puente → Puente
de la Rica → Rico
de la Riva → Riba
de la Rubia → Rubio
de la Sala → Salas
de la Teixeira → Tejeiro
de la Torre → Torre
de la Vega → Vega
de la Villa → Villa
de las Casas → Casas
de las Torres → Torres
de los Ríos → Ríos
de los Santos → Sanz
del Campo → Campos
del Castillo → Castillo
del Monte → Montes
del Moral → Mora
del Prado → Prado
del Real → Rey
del Rey → Rey
del Río → Ríos
del Valle → Valle
Deleón → León
Delgadillo → Delgado
Delgado
Delicado → Delgado
Delicat → Delgado
Delmar → Marín
Delvalle → Valle
Despuig → Puig
Dias → Díaz
Díaz
Diego → Díaz
Diéguez → Díaz
Dies → Díaz
Díez
Domènec → Domínguez
Doménech
Domingo → Domínguez
Domingos → Domínguez
Domínguez
Dompablo → Polo
Dompablos → Polo
Dorronsolo → Torre
Dorronsoro → Torre
Duart → Duarte

Duarte
Dumenjó → Domínguez
Durà → Durán
Duran → Durán
Durán
Durana → Durán
Durandell → Durán
Durandes → Durán
Durández → Durán
Durano → Durán
Durant → Durán
Durany → Durán
Duró → Durán

Echabe → Chaves
Echebeste → Chaves
Eiximenis → Jiménez
Elcano
Elkano → Elcano
Emiliano → Millán
Emilio → Millán
Encina
Encinar → Encina
Encinares → Encina
Encinas → Encina
Era → Heras
Eras → Heras
Eraso → Heras
Ermengol → Menéndez
Erola → Heras
Eroles → Heras
Escala → Escalera
Escalada → Escalera
Escalante → Escalera
Escalas → Escalera
Escalera
Escales → Escalera
Escalona → Escalera
Escarrà → Izquierdo
Escobar
Escobedo → Escobar
Escobés → Escobar
Escobias → Escobar
Escovar → Escobar
Escudé → Escudero
Escudeiro → Escudero

Escuder → Escudero
Escudero
Escuderos → Escudero
Escudillo → Escudero
Escuter → Escudero
Església → Iglesias
Eskutari → Escudero
Espín → Espinosa
Espina → Espinosa
Espinal → Espinosa
Espinar → Espinosa
Espinardo → Espinosa
Espinas → Espinosa
Espinàs → Espinosa
Espinedo → Espinosa
Espineiro → Espinosa
Espinet → Espinosa
Espiniella → Espinosa
Espino → Espinosa
Espinós → Espinosa
Espinosa
Espiña → Espinosa
Espoy → Puig
Esquerdo → Izquierdo
Esquerra → Izquierdo
Esquerrà → Izquierdo
Esquerro → Izquierdo
Esteban
Estebanell → Esteban
Estébanez → Esteban
Estebarán → Esteban
Estebaranz → Esteban
Estébez → Estévez
Estefanía → Esteban
Esteva → Esteban
Estevan → Esteban
Estevanell → Esteban
Esteve → Esteban
Esteves → Estévez
Estévez
Estrada
Estradas → Estrada
Estrader → Estrada
Estradés → Estrada
Ezcutaria → Escudero
Ezker → Izquierdo

Ezquer → Izquierdo
Ezquerra → Izquierdo
Ezquerro → Izquierdo

Fabra
Fabre → Fabra
Fàbrega → Fabra
Fàbregas → Fabra
Fabregat → Fabra
Fabro → Fabra
Fajardo
Faria
Farrán → Ferrando
Farraz → Ferraz
Farré → Ferrer
Faura → Fabra
Feijido → Feijoo
Feijo → Feijoo
Feijoo
Fenollar → Hinojosa
Fenolleda → Hinojosa
Fenollera → Hinojosa
Fenollet → Hinojosa
Fenosa → Hinojosa
Fernán → Fernández
Fernández
Fernando → Ferrando
Ferragut → Ferrer
Ferran → Ferrando
Ferrand → Ferrando
Ferrandell → Ferrando
Ferrández → Ferrando
Ferrandis → Ferrando
Ferrándiz
Ferrando
Ferrant → Ferrando
Ferranz → Ferrando
Ferrari → Hierro
Ferrarons → Ferrer
Ferrás → Ferraz
Ferraté → Ferrer
Ferrater → Ferrer
Ferraz
Ferré → Ferrer
Ferreira → Hierro
Ferreiras → Hierro

Ferreiro → Hierro
Ferrer
Ferreras → Hierro
Ferreres → Hierro
Ferrería → Hierro
Ferrero → Hierro
Ferrerons → Ferrer
Ferret → Ferrer
Ferreter → Ferrer
Ferrís → Ferrer
Ferrusola → Ferrer
Fidalgo → Hidalgo
Flor → Flores
Floreaga → Flores
Floren → Flores
Florencio → Flores
Florensa → Flores
Florentín → Flores
Flores
Flórez → Flores
Florida → Flores
Florido → Flores
Florit → Flores
Flors → Flores
Fonfría → Fuente
Fonoll → Hinojosa
Fonollar → Hinojosa
Fonolleda → Hinojosa
Fonollosa → Hinojosa
Fons → Fuente
Fonseca → Fuente
Font → Fuente
Fontán → Fuente
Fontana → Fuente
Fontanals → Fuente
Fontanet → Fuente
Fontanillas → Fuente
Fontbona → Fuente
Fontcuberta → Fuente
Fonte → Fuente
Fontela → Fuente
Fontelos → Fuente
Fontes → Fuente
Fontseré → Fuente
Fortún → Ordóñez
Fortuna → Ordóñez

Fortunato → Ordóñez
Fortuny → Ordóñez
Fortuño → Ordóñez
Francás → Franco
Francés → Franco
Francesc → Franco
Franch → Franco
Franco
Francolí → Franco
Francos → Franco
Franquet → Franco
Fructuoso → Frutos
Fruitós → Frutos
Frutos
Fuenmayor → Fuente
Fuensanta → Fuente
Fuente
Fuentes
Funoll → Hinojosa
Furtado → Hurtado

Gala → Galán
Galai → Galán
Galán
Galant → Galán
Galante → Galán
Galbes → Gálvez
Galbez → Gálvez
Galdeano → Aldama
Galiardo → Gallardo
Gallar → Gallardo
Gallard → Gallardo
Gallarda → Gallardo
Gallardo
Gallart → Gallardo
Gallec → Gallego
Gallego
Gallegos → Gallego
Galter → Gutiérrez
Galtés → Gutiérrez
Galve → Gálvez
Gálvez
Galvo → Gálvez
Gamacho → Camacho
Gamero → Camacho
Gaminde → Gómez

Garau → Grau
Garcea → García
Garceller → García
Garcés → García
Gárcez → García
Garci → García
Garcia → García
García
Garcias → García
Garcías → García
Garrido
Garrit → Garrido
Garrudo → Garrido
Gas → Gascón
Gasc → Gascón
Gasca → Gascón
Gasch → Gascón
Gascó → Gascón
Gascón
Gascueña → Gascón
Gastán → Castaños
Gaztelu → Castillo
Gené → Giner
Gener → Giner
Geraldo → Grau
Gerardo → Grau
Gil
Gila → Gil
Giles → Gil
Gili → Gil
Gilo → Gil
Gimena → Jiménez
Giménez → Jiménez
Gimeno → Jiménez
Giné → Giner
Giner
Girado → Grau
Giral → Grau
Giráldez → Grau
Giraldo → Grau
Giraldos → Grau
Giralt → Grau
Giralte → Grau
Girau → Grau
Goicoa → Goñi
Goicoechea → Goñi

Goiti → Goñi
Goitia → Goñi
Gomà → Gómez
Gomar → Gómez
Gomara → Gómez
Gomáriz → Gómez
Gomes → Gómez
Gómez
Gomila → Gómez
Gomis → Gómez
Gómiz → Gómez
Gonçal → González
González
Gonzalo → González
Gonzálvez → González
Gonzalvo → González
Goñi
Goycoa → Goñi
Gozálbez → González
Gozalo → González
Grabalosa → Acevedo
Grabulosa → Acevedo
Gracia
Gracià → Gracia
Gràcia → Gracia
Gracián → Gracia
Graciano → Gracia
Grau
Grevolosa → Acevedo
Grijalba → Iglesias
Grijalbo → Iglesias
Guallart → Gallardo
Gualter → Gutiérrez
Guarch → Gascón
Guasch → Gascón
Guasp → Gascón
Guebara → Guevara
Guerao → Grau
Guerau → Grau
Guerra
Guerras → Guerra
Guerrea → Guerrero
Guerreiro → Guerrero
Guerrer → Guerrero
Guerrera → Guerrero
Guerrero

Guerri → Guerra
Guevara
Guil → Guillén
Guilella → Aguilar
Guiles → Guillén
Guílez → Guillén
Guill → Guillén
Guillamet → Guillén
Guillem → Guillén
Guillén
Guillermo → Guillén
Guillón → Guillén
Guillote → Guillén
Guimó → Guillén
Guirao → Grau
Gumà → Gómez
Gumí → Gómez
Gurruchaga → Cruz
Guruceta → Cruz
Gurutze → Cruz
Gutierre → Gutiérrez
Gutiérrez

Hera → Heras
Heras
Hermenegildo → Menéndez
Hermosa
Hermosel → Hermosa
Hermosell → Hermosa
Hermosilla → Hermosa
Hermoso → Hermosa
Hernáez → Hernández
Hernán → Hernández
Hernández
Hernando → Hernández
Hernaz → Hernández
Herrada → Hierro
Herradas → Hierro
Herradón → Hierro
Herrador → Hierro
Herráez → Hernández
Herrainz → Hernández
Herraiz → Hernández
Herrán → Hernández
Herrándiz → Hernández
Herrando → Hernández

Herranz → Hernández
Herrera
Herrería → Hierro
Herrerías → Hierro
Herrero → Hierro
Herreros → Hierro
Hidalga → Hidalgo
Hidalgo
Hierro
Hierros → Hierro
Hijodalgo → Hidalgo
Hinojal → Hinojosa
Hinojar → Hinojosa
Hinojares → Hinojosa
Hinojo → Hinojosa
Hinojos → Hinojosa
Hinojosa
Huarte → Duarte
Hurtado

Ibañes → Ibáñez
Ibáñez
Ibarburu → Ibarra
Ibargoitia → Ibarra
Ibarra
Ibarrola → Ibarra
Iglesia → Iglesias
Iglesias
Infant → Infante
Infante
Infantes → Infante
Infants → Infante
Izquierdo
Izquierdos → Izquierdo

Jaimes → Díaz
Jané → Giner
Janeiro → Giner
Janer → Giner
Janés → Giner
Jaume → Díaz
Jené → Giner
Jimena → Jiménez
Jiménez
Jimeno → Jiménez
Joan → Juanes

Joanet → Juanes
Joanic → Juanes
Jovany → Juanes
Juan → Juanes
Juanas → Juanes
Juanena → Juanes
Juanes
Juantegui → Juanes
Juarena → Juanes
Juárez
Jubany → Juanes
Jurado

la Font → Fuente
la Fuente → Fuente
la Madrid → Madrid
la Peña → Peña
la Torre → Torre
la Villa → Villa
Lacalle → Calles
Lacasa → Casas
Lacort → Cortés
Lacreu → Cruz
Lacruz → Cruz
Lacuesta → Cuesta
Lafuente → Fuente
Lahera → Heras
Lahidalga → Hidalgo
Laiglesia → Iglesias
Lamadrid → Madrid
Lamarca → Márquez
Laparra → Parra
Lapeira → Pereira
Lapeña → Peña
Lapera → Pereira
Laplaza → Plaza
Lara
Lares → Lara
Lárez → Lara
Láriz → Lara
Larriba → Riba
Larroyo → Arroyo
Lasala → Salas
Lasauca → Salcedo
Laseras → Heras
Lasheras → Heras

Lasierra → Sierra
Latorre → Torre
Laurenz → Lorenzo
Lavalle → Valle
Lavilla → Villa
Leal
Lealtad → Leal
Leiba → Leiva
Leiva
Leivar → Leiva
Leivas → Leiva
Leo → León
León
Leona → León
Leonardo → León
Leoncio → León
Lerena → Arenas
Letona
Leyva → Leiva
Lleó → León
Lleonard → León
Llobell → López
Lloberol → López
Llobet → López
Llop → López
Llopis → López
Llorenç → Lorenzo
Llorens → Lorenzo
Llosa → Losada
Llosas → Losada
Lloses → Losada
Llovet → López
Lluc → Luque
Lluch → Luque
Lobato → López
Lobatón → López
Lobeira → López
Lobera → López
Lobo → López
Lobos → López
Lope → López
Lopena → López
Lopera → López
Loperena → López
Lopes → López
Lopetegui → López

López
Lopo → López
Lorán → Lorenzo
Loren → Lorenzo
Lorena → Lorenzo
Lorente → Lorenzo
Lorenz → Lorenzo
Lorenza → Lorenzo
Lorenzana → Lorenzo
Lorenzo
Losa → Losada
Losada
Losado → Losada
Losana → Lozano
Losantos → Sanz
Losas → Losada
Losilla → Losada
Loza → Lozano
Lozada → Losada
Lozán → Lozano
Lozana → Lozano
Lozano
Lucas → Luque
Luco → Luque
Lugones → Luque
Luque
Luquín → Luque

Maçana → Manzano
Machín → Martín
Macías
Madrid
Madridejos → Madrid
Madriz → Madrid
Maioral → Mayoral
Maior → Mayoral
Majó → Mayoral
Major → Mayoral
Majoral → Mayoral
Mansana → Manzano
Manzanares → Manzano
Manzanas → Manzano
Manzaneda → Manzano
Manzanedo → Manzano
Manzaneque → Manzano
Manzanera → Manzano

Manzano
Marc → Marcos
Marcet → Marcos
March → Marcos
Marco → Marcos
Marcó → Marcos
Marcor → Marcos
Marcos
Marculeta → Marcos
Marcús → Marcos
Mares → Marín
Marí → Marín
Marín
Marina → Marín
Mariné → Marín
Mariner → Marín
Marino → Marín
Marinyà → Marín
Mariña → Marín
Mariñas → Marín
Mariño → Marín
Mariños → Marín
Marqués → Márquez
Marquesa → Márquez
Marquet → Marcos
Marqueta → Marcos
Márquez
Martí
Martiarena → Martín
Martín
Martinell → Martín
Martinet → Martín
Martínez
Martino → Martín
Martins → Martín
Martiño → Martín
Masana → Manzano
Mascaroles → Mosquera
Masia → Macías
Masià → Macías
Masriera → Ríos
Massana → Manzano
Massanes → Manzano
Massanet → Manzano
Massià → Macías
Maté → Mateu

Mateo → Mateu
Mateos → Mateu
Mateu
Mateus → Mateu
Matey → Mateu
Matía → Mateu
Matías → Mateu
Mayor → Mayoral
Mayoral
Mayorala → Mayoral
Mayorales → Mayoral
Mayoralgo → Mayoral
Meléndez → Menéndez
Melendo → Menéndez
Melendres → Menéndez
Mendes → Menéndez
Méndez → Menéndez
Mendi → Mendoza
Mendía → Mendoza
Mendíbil → Mendoza
Mendiburu → Mendoza
Mendieta → Mendoza
Mendiluce → Mendoza
Méndiz → Menéndez
Mendizábal → Mendoza
Mendo → Menéndez
Mendoça → Mendoza
Mendonça → Mendoza
Mendoza
Menéndez
Mengual → Menéndez
Merín → Merino
Merina → Merino
Merinero → Merino
Merino
Michel → Miguel
Michelena → Miguel
Migueis → Miguel
Miguel
Miguela → Miguel
Miguélez → Miguel
Míguez → Miguel
Mikel → Miguel
Milà → Millán
Milanés → Millán
Milano → Millán

Milans → Millán
Millà → Millán
Millán
Millana → Millán
Millano → Millán
Mingo → Domínguez
Mingorance → Domínguez
Mingote → Domínguez
Minguela → Domínguez
Minguella → Domínguez
Minguet → Domínguez
Mínguez → Domínguez
Minguillón → Domínguez
Miquel → Miguel
Miquelena → Miguel
Miquelet → Miguel
Miranda
Moia → Moya
Moja → Moya
Mola → Molina
Molas → Molina
Molero → Molina
Molina
Molinar → Molina
Molinas → Molina
Moliné → Molina
Moliner → Molina
Molinero → Molina
Molino → Molina
Moll → Moya
Mollà → Moya
Molner → Molina
Mombrú → Montes
Momparlet → Montes
Mondéjar → Montes
Mondragón → Montes
Monner → Molina
Monreal → Montes
Mons → Montes
Montalbán → Montes
Montaner → Montes
Montanés → Montes
Montano → Montes
Montáñez → Montes
Monte → Montes
Monteiro → Montero

Montejo → Montes
Montero
Montes
Montesa → Montes
Montesino → Montes
Montesinos → Montes
Móntez → Montes
Montiel → Montes
Montijo → Montes
Montilla → Montes
Montllor → Montes
Monts → Montes
Mora
Moral → Mora
Moraleda → Mora
Morales
Moré → Mora
Moreira → Mora
Morell → Moreno
Moreno
Morente → Moreno
Morentín → Moreno
Morento → Moreno
Moreña → Moreno
Moreño → Moreno
Morer → Mora
Morera → Mora
Moriente → Moreno
Morientes → Moreno
Moro → Moreno
Moros → Moreno
Moscarolas → Mosquera
Mosquera
Mosqueroles → Mosquera
Mouro → Moreno
Moya
Moyas → Moya
Moyo → Moya
Muela → Molina
Muelas → Molina
Mumbrú → Montes
Munioz → Muñoz
Munné → Molina
Muntada → Montes
Muntadas → Montes
Muntaner → Montes

Munza → Muñoz
Muñiz → Muñoz
Muñón → Muñoz
Muñoz

Nabarre → Navarro
Nabarrés → Navarro
Nabarrete → Navarro
Nabarro → Navarro
Nafarro → Navarro
Naharro → Navarro
Navarrete → Navarro
Navarro
Nét → Nieto
Neto → Nieto
Nieta → Nieto
Nieto
Nietos → Nieto
Nunes → Núñez
Núñez
Nuñiz → Núñez

Oballe → Valle
Obrador → Obregón
Obregón
Obrero → Obregón
Obreros → Obregón
Ocampo → Campos
Ochoa → López
Ochotorena → López
Olcina → Encina
Olsina → Encina
Oneto → Nieto
Ordóñez
Ordoño → Ordóñez
Orduña → Ordóñez
Ordúñez → Ordóñez
Ortega
Ortego → Ortega
Ortiz
Ortún → Ordóñez
Ovalle → Valle

Pablo → Polo
Pablos → Polo
Pacheco

Pacho → Pacheco
Pachón → Pacheco
Padilla
Paella → Padilla
Paesa → Páez
Páez
Palacín → Palacio
Palacio
Palacios
Palao → Palacio
Palasí → Palacio
Palau → Palacio
Palazón → Palacio
Palazuelo → Palacio
Palazuelos → Palacio
Palou → Palacio
Panadés → Peña
Panyella → Peña
Parat → Prat
Parats → Prat
Parda → Pardo
Pardal → Pardo
Pardillo → Pardo
Pardo
Pardos → Pardo
Paré → Pereira
Parera → Pereira
Parés → Pereira
Paricio → Aparicio
Parisi → Aparicio
Parra
Parrado → Parra
Parral → Parra
Parrales → Parra
Parralo → Parra
Parramón → Pérez
Parras → Parra
Parreño → Parra
Parriego → Parra
Parriza → Parra
Parrot → Pérez
Pascoa → Pascual
Pascual
Pascuet → Pascual
Pasqual → Pascual
Pasquín → Pascual

Pastó → Pastor
Pastor
Pastora → Pastor
Pastorín → Pastor
Pastoriza → Pastor
Pastors → Pastor
Pastrana → Pastor
Pau → Polo
Paulet → Polo
Paulo → Polo
Payo → Páez
Pazo → Palacio
Pazos → Palacio
Pedrín → Pérez
Peiro → Pérez
Peiró → Pérez
Peláez → Páez
Pelayo → Páez
Pena → Peña
Penalba → Peña
Penalva → Peña
Penas → Peña
Penedès → Peña
Penella → Peña
Penya → Peña
Peña
Peñalba → Peña
Peñalver → Peña
Peñas → Peña
Peñil → Peña
Peñín → Peña
Pera → Pereira
Peral → Pereira
Perales → Pereira
Perals → Pereira
Perats → Prat
Pere → Pérez
Pereda → Pereira
Pereira
Pereiras → Pereira
Pereiro → Pereira
Pereita → Pereira
Perellada → Pereira
Perelló → Pereira
Perer → Pereira
Perera → Pereira

Peret → Pérez
Pereyra → Pereira
Pérez
Peric → Pérez
Pericàs → Pérez
Pericay → Pérez
Peris → Pérez
Périz → Pérez
Pernau → Arnau
Pero → Pérez
Perot → Pérez
Perote → Pérez
Perucho → Pérez
Perurena → Pérez
Peyró → Pérez
Pijoan → Puig
Piris → Pérez
Plaça → Plaza
Plaza
Plazaola → Plaza
Plazas → Plaza
Plazola → Plaza
Plazuela → Plaza
Pol → Polo
Polo
Ponç → Pons
Ponce → Pons
Poncet → Pons
Ponciano → Pons
Poncio → Pons
Pons
Ponsetí → Pons
Ponsich → Pons
Pontes → Puente
Pontons → Puente
Ponts → Puente
Poyato → Puig
Poyo → Puig
Prada → Prado
Pradal → Prado
Pradell → Prado
Pradera → Prado
Praderas → Prado
Pradilla → Prado
Pradillos → Prado
Prado

Prados → Prado
Prat
Prats → Prat
Preto → Prieto
Pretus → Prieto
Prieto
Puch → Puig
Puche → Puig
Puchol → Puig
Puente
Pueyo → Puig
Pui → Puig
Puig
Puigbó → Puig
Puigcercós → Puig
Puigmartí → Puig
Pujal → Puig
Pujals → Puig
Pujol → Puig
Pujolar → Puig
Pujolràs → Puig
Pujols → Puig
Punset → Pons
Puntí → Puente
Puy → Puig
Puyal → Puig
Puyol → Puig

Quintà → Quintana
Quintana
Quintanar → Quintana
Quintanilla → Quintana
Quintano → Quintana
Quintans → Quintana
Quintero → Quintana
Quinteros → Quintana
Quiroga

Ram → Ramos
Ramajo → Ramos
Ramal → Ramos
Ramallo → Ramos
Ramir → Ramírez
Ramirena → Ramírez
Ramírez
Ramiro → Ramírez

Ramis → Ramírez
Ramos
Rams → Ramos
Real → Rey
Reales → Rey
Rech → Rey
Redó → Redondo
Redón → Redondo
Redonda → Redondo
Redondas → Redondo
Redondo
Regalado → Galán
Regás
Regàs → Regás
Regí → Rey
Regina → Rey
Regino → Rey
Regio → Rey
Rei → Rey
Reig → Rey
Reina → Rey
Reinals → Rey
Reine → Rey
Reinosa → Rey
Reinoso → Rey
Remires → Ramírez
Remírez → Ramírez
Revilla → Riba
Rey
Reyes
Réyez → Rey
Rialp → Ríos
Riaño → Ríos
Riaza → Ríos
Riazor → Ríos
Riba
Ribao → Riba
Ribas → Riba
Ribeiro → Rivero
Ribelles → Riba
Ribera
Ribes → Riba
Ribó → Riba
Rica → Rico
Rico
Ricón → Rico

Ricos → Rico
Ricós → Rico
Riera → Ríos
Rierola → Ríos
Río → Ríos
Riojo → Ríos
Ríos
Rioseco → Ríos
Rioz → Ríos
Ripalda → Riba
Riu → Ríos
Rius → Ríos
Riutort → Ríos
Riva → Riba
Rivao → Riba
Rivelles → Riba
Rivera → Ribera
Rivero
Riverol → Riba
Riveros → Rivero
Rives → Riba
Robí → Rubio
Robleda → Robles
Robledal → Robles
Robledano → Robles
Robledo → Robles
Robles
Robredo → Robles
Robreño → Robles
Robres → Robles
Roc → Roca
Roca
Rocafort → Roca
Rocamora → Roca
Rocano → Roca
Rocas → Roca
Rocha → Roca
Roche → Roca
Rocosa → Roca
Roda → Rueda
Rodero → Rueda
Rodés → Rueda
Rodó → Redondo
Rodón → Redondo
Rodrejo → Rodrigo
Rodrigo

Rodrigues → Rodríguez
Rodríguez
Roges → Rojas
Roget → Rojas
Roglà → Roldán
Roig → Rojas
Rojals → Rojas
Rojas
Rojel → Rojas
Rojo → Rojas
Roldán
Roma → Román
Román
Romaní → Román
Romano → Román
Romanones → Román
Romans → Román
Romanyà → Román
Romay → Román
Romea → Romero
Romeo → Romero
Romer → Romero
Romero
Romeu → Romero
Roqué → Roca
Roquer → Roca
Roques → Roca
Roqueta → Roca
Ros → Rubio
Rosell → Rubio
Roso → Rubio
Rossell → Rubio
Rotllan → Roldán
Roura → Robles
Roure → Robles
Roureda → Robles
Rovira → Robles
Roviralta → Robles
Rovirosa → Robles
Rubí → Rubio
Rubia → Rubio
Rubial → Rubio
Rubiales → Rubio
Rubianes → Rubio
Rubias → Rubio
Rubiera → Rubio

Rubinat → Rubio
Rubinos → Rubio
Rubiños → Rubio
Rubio
Rubió → Rubio
Rubira → Robles
Rubiralta → Robles
Rubirosa → Robles
Rueda
Rui → Ruiz
Ruibal → Ruiz
Ruigómez → Ruiz
Ruipérez → Ruiz
Ruira → Robles
Ruiz
Rullán → Roldán
Rupérez → Ruiz
Ruy → Ruiz
Ruyra → Robles

Sa → Salas
Saavedra → Salas
Sacedo → Salcedo
Sacosta → Costa
Sáenz → Sáez
Sáez
Safont → Fuente
Sáinz → Sanz
Sala → Salas
Salabarría → Salas
Salaberría → Salas
Salado → Salinas
Salas
Salat → Salinas
Salavedra → Salas
Salaverri → Salas
Salazar
Salce → Salcedo
Salceda → Salcedo
Salcedo
Salces → Salcedo
Salcines → Salcedo
Salelles → Salas
Saler → Salinas
Salera → Salinas
Sales → Salas

Salgado → Salcedo
Salgueiro → Salcedo
Salguero → Salcedo
Salí → Salinas
Salinas
Saliner → Salinas
Salinero → Salinas
Salmarri → Salinas
Salvà → Silva
Salvadó → Salvador
Salvador
Salvadores → Salvador
Salvany → Silva
Sampayo → Páez
Sampelayo → Páez
Samper → Pérez
Sampietro → Pérez
Sampol → Polo
San Andrés → Andrés
San Antonio → Antón
San Benito → Benito
San Esteban → Esteban
San Fernando → Ferrando
San Gil → Gil
San Hermenegildo → Menéndez
San Juan → Juanes
San Lucas → Luque
San Martín → Martín
San Mateo → Mateu
San Miguel → Miguel
San Pedro → Pérez
San Pelayo → Páez
San Román → Román
San Simón → Jiménez
Sance → Sancho
Sances → Sancho
Sancha → Sancho
Sánchez
Sanchis → Sancho
Sanchís → Sancho
Sancho
Sanchos → Sancho
Sanclement → Clemente
Sanclemente → Clemente
Sandiumenge → Domínguez
Sanfrutos → Frutos

Sanglàs → Bermúdez
Sanjuan → Juanes
Sanlópez → López
Sanmarino → Marín
Sanmartín → Martín
Sanmiguel → Miguel
Sanmiquel → Miguel
Sanpedro → Pérez
Sanromà → Román
Sans → Sanz
Sansot → Sancho
Santa Cruz → Cruz
Santacreu → Cruz
Santacruz → Cruz
Santandreu → Ándrés
Santángel → Ángel
Santesteve → Esteban
Santgil → Gil
Santiago → Díaz
Santibáñez → Ibáñez
Santisteban → Esteban
Santjaume → Díaz
Santjoan → Juanes
Santmartí → Martín
Santo Domingo → Domínguez
Santomá → Tomás
Santomé → Tomás
Santos → Sanz
Santpau → Polo
Santpol → Polo
Santponç → Pons
Santromà → Román
Sants → Sanz
Sanxo → Sancho

Sanz

Sapera → Pereira
Sarola → Heras
Sarolas → Heras
Sarriera → Ríos
Sastrada → Estrada
Satorra → Torre
Satorras → Torres
Satorre → Torre
Satorres → Torres
Sauca → Salcedo
Sauce → Salcedo
Sauceda → Salcedo
Saucedo → Salcedo

Sauco → Salcedo
Sauque → Salcedo
Sauquet → Salcedo
Sauquillo → Salcedo
Sauvador → Salvador
Selva → Silva
Selves → Silva
Sempere → Pérez
Senglars → Bermúdez
Seoane → Juanes
Serra → Sierra
Serrà → Serrano
Serrador → Sierra
Serrahima → Sierra
Serralta → Sierra
Serrán → Serrano

Serrano

Serranos → Serrano
Serras → Sierra
Serrat → Serrano
Serrato → Serrano
Serrats → Serrano
Serres → Sierra

Sierra

Sierras → Sierra

Silva

Silván → Silva
Silvar → Silva
Silvas → Silva
Silveira → Silva
Silveiro → Silva
Silvela → Silva
Silvera → Silva
Silverio → Silva
Silvestre → Silva
Simeón → Jiménez
Simó → Jiménez
Simón → Jiménez
Simonet → Jiménez
Simorra → Salinas
Soares → Suárez
Soárez → Suárez
Solà → Soler
Solana → Soler
Solanas → Soler
Solanell → Soler
Solanes → Soler
Solanich → Soler

Solanillas → Soler
Solano → Soler
Solanos → Soler
Solans → Soler
Soldevila → Villa
Solé → Soler

Soler

Soley → Soler
Solís → Soler
Sopeña → Peña

Soria

Soriano → Soria
Sorribas → Riba
Sota → Soto
Sotelo → Soto
Sotera → Soto
Soteras → Soto
Soteres → Soto
Sotes → Soto
Sotil → Soto
Sotillo → Soto
Sotillos → Soto

Soto

Sotomayor → Soto
Sotos → Soto
Souto → Soto
Soutos → Soto

Suárez

Sueira → Suárez
Sueiras → Suárez
Suero → Suárez
Suqué → Salcedo
Súria → Soria

Talavera

Talaverón → Talavera

Tamarit

Tamariz → Tamarit

Tapia

Tàpia → Tapia
Tapial → Tapia
Tapias → Tapia
Tàpies → Tapia
Tapiola → Tapia
Tapioles → Tapia
Tàpis → Tapia
Teijeira → Tejeiro
Teijeiro → Tejeiro

Teixeira → Tejeiro
Tejada → Tejeiro
Tejeda → Tejeiro
Tejedo → Tejeiro
Tejeira → Tejeiro
Tejeiro
Tejera → Tejeiro
Tejerina → Tejeiro
Tejerizo → Tejeiro
Tejero → Tejeiro
Tejerón → Tejeiro
Tejeros → Tejeiro
Telleche → Tejeiro
Tellechea → Tejeiro
Tellería → Tejeiro
Teulada → Tejeiro
Teulats → Tejeiro
Teuleria → Tejeiro
Texeira → Tejeiro
Thomàs → Tomás
Tizón
Tomás
Tomàs → Tomás
Tomasa → Tomás
Tomé → Tomás
Tomei → Tomás
Tomeo → Tomás
Tomey → Tomás
Torralba → Torre
Torras → Torres
Torrasa → Torre
Torrat → Torre
Torre
Torrecilla → Torre
Torrecillas → Torre
Torreiro → Torre
Torrejón → Torre
Torrella → Torre
Torrellas → Torre
Torrelles → Torre
Torremocha → Torre
Torrero → Torre
Torreros → Torre
Torres
Torrijo → Torre
Torrijos → Torre
Torroba → Torre
Torroella → Torre

Torroja → Torre
Torronteras → Torre
Tortajada → Torre
Trujillo
Trujillos → Trujillo

Ugarte → Duarte
Uharte → Duarte

Val → Valle
Valbona → Balbuena
Valbuena → Balbuena
Valdespino → Espinosa
Valencia → Valero
Valentí → Valero
Valentín → Valero
Valenzuela → Valero
Valera → Valero
Valerio → Valero
Valero
Valerón → Valero
Valiente → Valero
Vall → Valle
Valladares
Valle
Vallejo → Valle
Valles → Valle
Vallès → Valle
Valls → Valle
Valverde → Valle
Varela → Valero
Vargas
Vasco → Vázquez
Vázquez
Vega
Vegas → Vega
Véguez → Vega
Veguilla → Vega
Veguillas → Vega
Velasco → Blasco
Velázquez
Vera
Vidal
Vidales → Vidal
Vidaller → Vidal
Vidals → Vidal
Vila → Villa
Vilalta → Villa

Vilar → Villar
Vilarnau → Arnau
Villa
Villaescusa → Villa
Villalba → Villa
Villalobos → López
Villalobos → Villa
Villanova → Villa
Villanueva
Villar
Villarejo → Villa
Villares → Villa
Villariño → Villa
Villarreal → Villa
Villarroel → Villa
Villarroya → Villa
Villas → Villa
Villatoro → Villa
Villegas
Vivar → Vidal
Vivas → Vidal
Vives → Vidal
Vivó → Vidal

Xarau → Grau
Ximénez → Jiménez
Ximeno → Jiménez
Xirau → Grau
Xoán → Juanes

Yagüe → Díaz
Yanes → Yáñez
Yánez → Yáñez
Yáñez
Yáñiz → Yáñez
Ybáñez → Ibáñez
Ybarra → Ibarra
Ybarrola → Ibarra
Ynfante → Infante
Yzquierdo → Izquierdo

Zamora
Zamorano → Zamora

Índice